KB213451

내면의 공간

내면의 공간

The Space Within

마이클 닐 지음 / 김신비 옮김

집으로 돌아오는 길을 알려준 시드니 뱅크스

그리고 모두에게 바칩니다.

우리는 탐험을 멈추지 않으리니

우리 탐험의 끝은

출발점에 도착하는 것

그리하여 그 첫 시작점을 알게 되는 것

– T.S. 엘리엇

세상에는 우리의 마음을 이해하려는 좋은 책들로 가득하다. 종교의 지혜를 담아 오랜 세월 전해 내려온 책, 깨달음을 얻은 이들의 통찰을 담은 책, 그리고 오늘날 눈부신 발전을 이룬 뇌과학이나 심리학의 관점에서 마음을 탐구한 현대적인 책들까지 그 종류도 다양하다. 이렇게 서가에 빼곡히 꽂힌 좋은 책들을 바라보다 보면, 과연 여기에 또 하나의 책이 들어갈 공간이 있을까 하는 생각이 들기도 한다.

그러나 〈내면의 공간〉은 분명 그중에서도 돋보일 책이다. 그 이유는 책이 가리키는 방향에 있다. 이 책은 우리가 이미 안다고 착각하지만 사실은 제대로 들여다본 적 없는 곳, 바로 '경험'으로 우리를 이끌기 때문이다.

우리는 매일 보고, 듣고, 맛보고, 만지며 세상을 감각하고, 행복, 슬픔, 화, 기쁨 등 다양한 감정을 느끼며 단 1초도 쉬지 않고 삶을 경험한다. 이렇게 경험은 너무나 자연스러운 일이라, 우리는 그 본질에 대해 깊이 바라보지 않는다. 그저 좋은 경험을 가져다주거나 나쁜 경험을 막아줄 것이라 믿는 돈, 관계, 일, 건강 등을 얻기 위해 바쁘게 살아갈 뿐이다.

그러나 우리가 그토록 갈망하는 좋은 경험이나 필사적으로 피하려는 나쁜 경험을 '경험'하는 우리의 능력은 과연 믿을 만한가? 만약 원하는 조건을 모두 갖추고도 '좋다'고 느끼지 못하거나, 반대로 최악이라 할만한 상황에서도 의외로 '나쁘다'고 느끼지 않을 수 있다면, 이는 무엇을 의미하는 걸까?

〈내면의 공간〉은 다소 엉뚱한 질문을 던지며 경험을 들여다보자고 제안한다. 책은 우리가 삶을 경험하는 방식이 얼마나 주관적이고 불완전한지를 탐구하며, 이러한 경험의 본질이 오히려 우리에게 **매 순간 새로운 시야와 깊은 감정을 가져다주는 원천임을** 조명한다. 그리고 그 기능을 방해하는 유일한 것은 삶의 경험이 객관적이고 통제 가능하다 믿는 우리의 생각뿐이라는 것을 일깨워준다.

저자 마이클 닐은 말한다.

"삶에서 일어나는 모든 문제는 자신 안의 방향 감각을 잃고 생각의 내용에만 사로잡힌 결과다. 수많은 문제에 대한 단 한 가지 해답은 내면으로부터 시작되는 경험의 이해뿐이다"

마이클 닐은 간단해 보이지만 언뜻 모호하기도 한 '이해'를 우리의 삶에서 살아 숨 쉬게 한다. 유쾌한 경험담과 사랑스러운 비유로 가득한 글을 따라가다 보면, 우리는 복잡한 이론이나 어려운 과정 없이도 저절로 생각 너머의 삶으로 빠져들게 된다. 그 안에서 우리는 허상에 가려져 있던 다채로운 삶을 마주하게 된다.

부정적인 경험을 가져다주리라 믿는 온갖 장애물로 둘러싸인 허상 속의 세상은 살얼음판과 같다. 하지만 경험에 대한 새로운 이해로 바라본 세상은 언제든 넘어져도 괜찮은 너른 잔디밭으로 뒤바뀐다. 이 새로운 세상에서 우리는 넘어져 울다가도 다시 뛰놀기를 멈추지 않는 어린아이처럼 삶 속으로 다시 뛰어들게 된다. 이 책은 당신이 더 많이 넘어지고, 더 많이 울도록 이끌 것이다. 그러나 그보다 더 많이 웃고 뛰놀며, 인간미 넘치는 모든 경험을 온전히 받아들일 수 있는 안정감 또한 줄 것이다.

"감정이 바깥세상이 아닌 자신의 생각으로부터 온다는 사실을 이해할 때, 온갖 기법과 전략 대신 당신의 내면, 새로운 경험이 일어나는 깊은 공간을 바라본다. (…) 괴로움 없이 눈물 흘릴 수 있고, 겁먹지 않고 두려움을 느낄 수 있다. 당신의 가슴은 산산조각으로 부서지지 않고도 활짝 열릴 수 있다."

이 책은 당신이 내면의 공간으로 자연스럽게 빠져들도록 쓰였다. 글을 읽다 보면 어느새 자신도 모르게 머리가 느슨해지고 마음이 가벼워지는 그 공간으로 발을 들게 될 것이다. 아마도 그런 순간 다시 바쁜 현대인의 모드로 돌아가려 허둥댈지도 모른다. 그러나 서둘러 빠져나오려 애쓰는 대신, 그 공간 깊숙이 몸을 맡겨보는 건 어떨까? 온몸이 다 젖을 때까지 그곳에 머물다 보면, 우리가 그토록 찾아 헤맸던 진정한 안식처를 발견할지도 모른다. 그러니 두려움도 망설임도 내려놓고, 힘껏 뛰어들어 보자. 풍덩!

차례

추천의 말

로버트 홀든 박사 Robert Holden, Ph.D.
Shift Happens!, Loveability의 저자

마이클 닐과의 인연은 런던 켄싱턴의 저녁 식사 자리에서 처음 시작되었다. 원래는 넷이서 함께 하는 자리였지만 그중 두 명이 급하게 약속을 취소하는 바람에 나는 마이클과 단둘이 식사를 하게 됐다. 그때까지 우리는 서로를 잘 알지 못했다. '재밌을 거야. 하지만 밤 9시 30분까지는 집에 가야지'라고 생각했던 게 기억난다. 그 레스토랑의 이름은 기억나지 않는다. 우리가 뭘 먹었는지도 까먹었다. 와인은 무척 맛있었지만 이름은 모르겠다. 하지만 그날의 대화에 푹 빠져서 레스토랑이 문을 닫을 때가 돼서야 나왔다는 것, 내가 지갑을 놓고 와서 마이클이 계산을 했다는 것은 선명히 기억한다.

오래된 검정 택시의 뒷좌석에 앉아 노팅힐을 지나 치스윅 Chiswick의 집으로 가는 동안, 나는 마이클과의 만남에 깊은 행복과 감사의 마음을 느꼈다. 마치 진정한 친구를 만난 느낌이었다. 그러다 문득, 한 생각이 머릿속에 떠올랐다. 그건 '내' 생각이 아니었다. 분명 내가 만들어낸 생각과는 달랐기 때문이다. 다른 어딘가에서 내게 찾아온 생각이었다. 그 생각은 이러했다. '마이클은 평생의 친구가 될 거고, 우리의 우정은 큰 축복이 될 거야.'

기쁘게도, 그 이후로 마이클과 나는 계속해서 서로의 삶에 함께해왔다. 지난 10년간 우리는 다양한 세미나를 함께 진행하고, 서로의 책 발표를 응원하며, 서로의 라디오 프로그램에 게스트로 나가고, 마이클의 수퍼코치 아카데미와 같은 여러 프로젝트에서 협업했다. 우리는 서로의 가족들과 어울리며 시간을 보내고, 골프를 치며, 수많은 장소에서 함께 식사하고 와인을 나눴다. 그중에서도 탬파의 번스 스테이크 하우스Bern's Steak House에서 그날의 강연료를 1937년산 '샤또 꼬스 데스투르넬' 한 병에 쏟아부었던 밤은 특히 잊지 못할 것이다.

삶의 세 가지 원리The Three Principles를 발견한 시드니 뱅크스 Sydney Banks가 말했다. "진정한 통찰 하나가 삶의 이전 경험을 모두

합친 것보다 더 가치 있을 수 있다." 여러 해 동안 마이클은 내게 이러한 통찰을 한가득 안겨주었다. 마치 우리가 해변에서 그저 바다만 바라볼 때, 모래 속에 숨겨진 아름다운 조개를 발견하는 사람처럼 그는 삶을 뒤바꿀만한 통찰을 놀이하듯 모으고 사람들에게 나눠주었다.

무엇보다도 마이클은 나로 하여금 생각과 마음의 본질을 생각하도록 만들었다. 그와의 대화를 통해 나는 내 '생각'과의 관계를 새로 만드는 법을 배웠고, 그로 인해 삶을 다른 방식으로 경험하기 시작했다.

나는 '대부분의 사람들에겐 더 많은 치료법이 아니라 더 나은 명료함이 필요하다'는 믿음을 기반으로 상담 일을 한다. 이 책에서 마이클은 당신을 고치려 들지 않는 친구와 같은 방식으로 그 사실을 적극적으로 보여준다. 왜냐하면 그는 당신이 정말로 망가지지 않았다는 걸 알기 때문이다. 물론, 당신에게 끔찍한 과거가 있거나 공감능력을 상실한 아버지가 있을 수도 있다. 혹은 지금 재정적으로 굉장히 불안한 상황에 처했을 수도, 육체적으로 고통스러운 상태에 놓였을지도 모른다.

그러나 당신이 명료하게 바라본다면, 당신에게 일어난 일에 영향받지 않는 진정한 자신을 마주하고, 당신은 여전히 괜찮다는 것 또한 알게 될 것이다. 흔히 '영혼의 어두운 밤'이라고 불리는 시기는 사실 에고ego의 어두운 밤이다. 영혼은 결코 어두워질 수 없다는 앎이 당신을 치유와 기적이 일어나는 내면의 공간으로 이끌어줄 것이다.

이 책에서 마이클은 그 내면의 공간을 우리에게 소개하고, 우리가 우리의 생각이 아님을 일깨워주며, 마음의 친구가 되는 법을 알려준다. 이를 통해 우리는 자신의 생각의 피해자가 되기를 멈추는 법을 배우고, 지혜를 '다운받는' 법을 배우고, 이전에 생각하도록 허락하지 않았던 '생각'들을 생각하는 법을 배운다.

그는 지성 또한 마음의 일부분에 불과하며, 그 너머에 언제나 자유롭게 닿을 수 있는 범우주적 지혜가 있음을 알려준다. 우리가 기꺼이 '내 마음'이라는 책을 내려놓는다면 도서관 전체를 거닐며 신의 생각에도 닿을 수 있을 것이다.

'내면의 공간'은 상상도 해본 적 없는 멋진 삶을 위한 초대장이다. 이 책은 우리가 얼마나 행복해질 수 있는지, 진실이라 믿기엔 너무나 좋은 삶이 어떻게 가능한지에 대한 당신의 이론과 선입견을 뛰어넘도록 도와줄 것이다. 이로써, 당신은 자신 내면의 지혜와 사랑으로 돌아가는 길을 알게 될 것이다.

　나는 당신이 이 책의 페이지들을 거닐며 당신 안의 길을 찾아가길 권한다. 여유롭게, 문장들 사이의 공간을, 단어들 뒤의 하얀 공백을 느껴보자. 곧 당신의 진정한 마음을 만날 참이다. 영감에 찰 준비를 하고, 기적을 위한 길을 열어놓자.

2016년 2월, 런던에서.

일러두기

세 가지 원리(The Three Principles)를 구성하는 '**마음**(Mind)', '**의식**(Consciousness)' 그리고 '**생각**(Thought)'은 인간이 삶을 어떻게 경험하는지를 설명하기 위해 보다 새롭게 재정의한 개념입니다. 일상적으로 사용하는 의미와는 다소 상이한바, 표기 시 강조체로 구분하였습니다(원문에서는 첫 글자 대문자 표기로 구분됩니다).

들어가며

한 가지 문제,
한 가지 해결책

○

우리의 진정한 본질을 찾는 것이
거의 모든 것의 해답이다

행복하자 그리고 자신의 길을 따르자

우리는 집으로 돌아가는 길을 찾고 있다. 그 길을 찾기 위해 우리는 모든 것을 반대 방향으로 바라봐야 한다. 집에서 나온 방향으로 계속 걸을수록 집에서 점점 멀어지는 것은 당연하기 때문이다. 집을 찾기 위해서는 방향을 돌려야 한다. 우리가 원하는 답은 밖이 아닌 내면에 있다. 그곳에 우리가 찾던 비밀이 놓여 있다.

– 시드니 뱅크스

서른두 살, 나는 삶의 비밀을 발견했다. 나는 내 안의 공간에 빠져들었다. 그곳은 깊고 아름다웠고 분명했다. 그 안에선 모든 게 가능해 보였고, 세상의 그 무엇도 문제로 보이지 않았다. 그 공간에 빠져있던 6주 동안 해야 할 일이 있으면 그냥 했고, 해야 할 일이 없다면 그것에 대해 단 하나의 생각도 낭비하지 않았다.

나는 그곳에서 이전에는 한 번도 경험해 보지 못한 순

수하고 깊은 마음의 평화를 느꼈다. 그 평화는 내가 가능하리라 예상했던 것보다 훨씬 더 오래 이어졌다. 다만 유일한 문제는 지금 내게 일어나는 이 경험이 도대체 무슨 일인지, 어떻게 유지해야 하는지, 그리고 이 경험이 사라졌을 때 어떻게 다시 찾아야 하는지를 몰랐다는 것이다.

이 비밀을 설명하려는 내 첫 시도는 간단히 이러했다.

그냥 행복하자.

그러나 이 설명을 아무도 내가 느낀 만큼 강렬하게 받아들이지 않자, 두 번째 시도엔 더 분명하게 설명했다.

그냥 행복하자 그리고 자신의 길을 따르자.

내겐 이 말이 6주 동안 내가 산 삶을 정확히 설명해 주었지만 다른 이들에겐 와닿지 않는 듯했다. "어떻게 그래요?" 모두가 물었지만 답할 수 없었다. 내가 한 경험을 말로 설명하려 애쓸수록 그 경험에서 더 멀어져만 갔다. 그러다 다시 '내면의 공간'에 돌아갔을 때, 1년 반이 넘도록 그곳에 오지 않았다는 걸 깨달았다.

그 후 7년 동안 내게 일어난 일이 무엇이었는지, 어떻게 다시 그 일을 일어나게 하고 지속시킬 수 있을지를 강박적으로 찾아다녔다. 이미 오랜 기간 훈련하고 경험한 NLP(신경언어프로그래밍) – 자기 계발을 위해 두뇌가 정보를 처리하는 패턴이나 프로그램을 재구조화하는 방법론 – 에 더해, 내 경험을 역공학적으로 분석해 보겠다는 심정으로 많은 심리학 및 영적 분야들을 공부했다. 나는 이 비범한 마음의 상태를 다시 얻길 원할 뿐 아니라 다른 사람들과 공유하는 법을 배우길 원했다.

그러던 2007년, 놀랍게도 그 답을 찾았다. 내가 찾던 답은 특정 시스템, 철학, 심리학, 종교, 수행법, 훈련법이 아닌 인간의 정신적 본질을 이해하는 데에 있었다. 이러한 이해는 용접공으로 일하던 시드니 뱅크스Sydney Banks를 통해 처음 설명되었다.

시드니 뱅크스는 초등학교밖에 나오지 못했고, 인간 경

험에 관한 심리학엔 관심도 없었다. 그저 남들처럼 삶이 조금만 더 나아지길, 결혼 생활이 조금 더 버틸만하기를 바랄 뿐이었다. 그러나 지두 크리슈나무르티J. Krishnamurti의 책에서 무언가를 느끼고, 우연히 아는 사람에게서 "너는 진짜로 불안하지 않아. 네가 그렇다고 생각할 뿐이야"라는 조언을 듣는 등 겉으로 연관 없어 보이는 일련의 사건 후에 자연스러운 깨달음을 경험했다.

그는 이렇게 표현했다.

바다가 보이는 창을 바라보는데 터널에 빨려드는 기분이 들었다. 갑자기 멍해지며 하얀빛이 나를 감쌌다. 위잉, 위잉. 나는 그 빛 한가운데 있었다. 그 빛은 아무도 볼 수 없었다. 나만 볼 수 있었다. 하얀 빛에 갇힌 것 같았다. 빛은 그저 윙윙거렸다. 그러곤 갑자기 신의 참된 의미를 깨달았다. 울음이 터져 나왔다.

나는 몸을 돌려 아내를 보고 말했다. "내가 마침내 집에 돌아왔어. 나는 자유로워. 내가 이뤄냈어. 그리고 이 세상을 극복했어. 우리는 이제 온 세계를 여행하며 심리학

과 정신의학에 변화를 이끌어 더 많은 사람들을 도우며

살게 될 거야."

깨달음의 경험은 그를 완전히 바꿔놓아서 그와 오랫동안 함께 일한 제지 공장의 동료들조차 그를 알아보지 못할 정도였다. 그의 예상대로 삶은 변화했다. 그 후 그는 36년 동안 세계를 돌며 다양한 곳의 많은 사람들에게 깨달음을 전했다. 그의 가르침에 기반한 여러 심리학 분야가(신인지 심리학Neo-Cognitive Psychology, 마음 심리학Psychology of Mind, 건강 깨달음 심리학Health Realization) 성립되었다. 몇몇은 종교나 사이비 집단으로 만들려고 시도했지만 시드Syd는 "**가서 네 삶을 살아**" 라는 경고로 그들을 집으로 돌려보냈다.

나 자신의 경험은 시드의 거대한 경험에 비하면 작은 것이었지만 그의 경험은 내게도 익숙하게 느껴졌다. 나 또한 한순간에 모든 것이 분명해졌고, 설명할 수 없는 이유로 모든 것이 천 배는 더 아름답게 느껴졌다. 바뀐 것은 아무것도 없었지만 모든 것이 달라졌다. 삶 깊은 곳에 자리한

앎, 나의 영적 집을 마주했다. 그 깨달음으로 세상을 살아
가는 새로운 방식이 드러나기 시작했다.

나를 소개합니다

앞으로 이 책에서 내가 '깊은 차원으로 안내하는 택시
운전사'의 역할을 맡을 테니 나의 자격을 보여줄 만한 면허
증을 준비해 보았다.

- 나는 깨달은 자가 아니며, 아마 앞으로도 그럴 일은
  없을 것 같다.
- 나는 육식을 하고 커피도 마시며 게으르다. 영화관에
  서 사람들이 떠들거나 핸드폰을 꺼내면 화를 내기도
  한다.
- 나도 누구나처럼 엉망이고, 불안하고, 신경증적이고,
  감정적이다. 그러나 그것은 놀랄 만큼 내 삶의 즐거움
  이나 세상에서 내 능력을 펼치는 일에 영향을 끼치지

않는다.

- 삶이 진정으로 행복하다. 자살 충동과 우울증으로 10대를 보낸 이에겐 꽤나 대단한 업적이다.

- 작가, 코치, 강연자, 라디오 사회자를 넘나들며 18년 동안 이 통찰을 십만 명이 넘는 사람들과 나눴다. 그들이 내 이야기에서 '감을 잡고' 자신 안의 깊은 곳으로 가는 길을 찾을 때 일어나는 변화는 지금까지도 나를 놀라게 한다.

이 소개서의 내용이 놀랍지 않아도 괜찮다. 난 그저 두 가지를 말하려 할 뿐이다.

하나, 난 여전히 보통 사람이다.

둘, 하지만 보통 사람으로 머무는 것이 완전히 놀라운 일이 될 수 있다. 스스로 자신의 길을 가로막지 않고, 삶 너머의 에너지, 그 깊은 지성이 우리를 가득 채우며 자연스레 앞으로 나아갈 수 있도록 허락한다면 말이다.

영적원리에 관한 이해가 깊어지며 자연스럽게 나타나

는 몇 가지 변화가 있다.

✴ 스트레스, 두려움, 화와 같은 다양한 감정적 반응들과
  완전히 새로운 관계를 맺게 된다. 때로는 우리의 육체를
  마비시키고 정신을 둔하게 만들며, 우리를 불협과 퇴락
  으로 이끌어 우리에게 가장 중요한 사람들과의 관계까
  지 망쳐버리는 그 감정들 말이다.

✴ 수행력이 높아지고 몰입의 상태에 더 오래 머무르며 곧
  바로 새로운 생각과 창조성에 닿을 수 있게 된다.

✴ 삶과 깊이 연결되는 경험과 미래에 대한 희망으로 과거
  의 찌꺼기가 씻겨나가고, 자연스러운 용서가 일어나 결
  혼 생활, 가족 관계 등이 회복되며 개인적 트라우마까지
  치유된다.

✴ 세속적인 면, 종교적인 면 모두에서 우리의 영적 부분이
  깨어나고 깊어진다.

이 책을 읽는 방법

우리의 삶을 최대치로 활용하게 해준다고 주장하는 많은 책들은 보통 두 가지로 나뉜다. 정보성 안내서 또는 실습 매뉴얼. 이 책은 세 번째 카테고리에 들어간다. 바로, 이미 당신 안에 있는 것을 깨워주는 촉매제이다. 앞으로 다룰 모든 내용은 당신에게 이미 아는 이야기처럼 느껴질 수도 있다. 의식적으로 그것에 대해 생각하거나 말로 표현한 적이 없었더라도 말이다.

나의 테드TEDx 강연 '왜 우리는 더 멋지게 살지 않나요?'(Why Aren't We Awesomer?)를 듣고 나이키의 계열사이자 세계적 스포츠 의류 브랜드 중에서 가장 높은 수익을 내는 곳 중 하나인 '헐리 인터내셔널Hurley'의 최고 경영자 밥 헐리가 내게 말했다. "정말 멋졌어요 마이클, 그런데 뭐 하나 물어도 돼요?" 내가 그러라고 하자 그가 은밀하게 속삭였다. "너무 당연한 내용 아닌가요?"

나도 그 말에 동의한다. 하지만 '벌거벗은 임금님' 이야기처럼 명백하게 드러나 있는 것을 대번에 알아차리는 사람은 꽤 드물다.

분명하지만 알아차리기 힘든 것을 보는 방법은 무엇일까? 정확한 답은 없지만 바라보아야 할 방향은 명확하다. 바로, 고요하고 광활한 우리 자신의 내면, 마음이다.

'고요'를 완전한 생각의 부재가 아닌 계속해서 생각의 소음이 떠오르는 내면의 공간이라 생각해 보자. 처음에는 고요함보다 소음에 더 관심이 가게 된다.

이 페이지의 하얀 배경을 바라보자. 하얀 배경만 보려고 해도 검은 글자는 여전히 눈에 들어오고, 점점 글자가 선명해지다 하얀 배경은 다시 글자에 묻히고 만다.

마찬가지로, 내가 지금 쓰는 단어들 하나하나의 뜻을 가리는 것에만 몰두하다간 글이 가리키는 진짜 공간을 놓치기 쉽다.

물론 이는 당신의 잘못도, 나의 잘못도 아니다. 말로써 영적 진실을 설명하려는 과정이 원래 얼음을 들고 불을 가리키는 것과 같기 때문이다. 가리키는 것의 실재에 다가갈수록 말은 더 쓸모없어지고 만다.

노자가 오천 년 전에 쓴 도덕경에 나오는 내용이다.
(노자 1장 해석)

도(道)를 도라고 말할 수 있다면 그것은 더는 도가 아니며
이름을 이름으로 부를 수 있다면 그것은 더는 이름이 아니다.

이름 없이 천지가 시작되고
이름과 함께 만물의 어머니가 존재한다.

욕심이 없다면 그 신비로움을 볼 것이고
욕심이 있다면 가장자리를 볼 것이다.

이 둘은 같지만 다른 이름으로 불리니
그 같음을 현(玄)이라 한다.

현하고 또 현하니
그 문으로 모든 신묘함이 드나든다.

시드니 뱅크스는 비슷한 내용을 더 간결히 설명했다.
(녹음본)

"만약 이 녹음을 들으며 운전하는 동안 아름다운 감정
을 느끼는 당신을 발견했다면, 테이프를 꺼내 밖으로
던지세요. 그리고 그 감정에 머무르세요. 그 감정 안에
정보가 담겨있습니다. 그것이 당신의 삶에 필요한 모든
지혜를 알려줄 것입니다."

언어의 한계를 넘어 집으로 돌아가는 길을 더 쉽게 찾기 위해, 이 책에는 많은 은유와 그림이 쓰였다. 모든 비유가 독자에게 정확히 해석되길 바라며 쓰지 않았다. 그저 그것들을 있는 그대로 즐기고, 만약 와닿지 않는다면 다음으로 넘어가도 좋을 것이다.

각 은유 앞에는 내 딸 메이시가 애정하는 티셔츠의 문구에서 착안한 경고를 붙였다.

이거랑 비슷한데, 이건 아니야.

아마 10대의 분노를 표현하는 말이겠지만, 나에겐 음악으로 표현해야 할 세상을 말로 설명해야 할 때의 어려움을 뜻하는 말로 느껴졌다.

하지만, 다행히 이 책의 전제는 간단하다.

✶ 우리 안에는 이미 완벽하고 완전한 **내면의 공간**이 존재하며, 이 순수한 의식의 공간으로 모든 생각이 오고 간다.

우리가 이 공간의 감정에서 쉬고 있을 때, 그곳의 온기는 우리의 마음과 몸을 치유한다. 내면의 공간에서 끝없이 흐르는 창조적 힘에 자신을 맡기면 높은 수준의 수행력이 자연스레 뒤따르고, 이 열린 공간에 다른 이들과 함께 앉아 있을 땐 이전에는 경험하지 못한 연결성과 친밀함을 느낀다. 그것은 사랑으로 가득 차 벅차오르도록 즐겁다. 무엇보다도 이 공간을 더 깊숙이 탐험하면 신에게 한 발짝 한 발짝 다가가는 자신을 발견하게 된다. 신이 실재하는지 확신하지 못하거나 어떻게 말해야 할지 몰라도 말이다.

삶에서 일어나는 모든 문제는 자신 안의 방향 감각을 잃고 생각의 내용에만 사로잡힌 결과다. 수많은 문제들에 대한 단 한 가지 해답은 집으로 돌아가는 길을 찾는 것이다.

한 가지 문제, 한 가지 해결책. 그리고 끝없는 가능성들…

1

진정한 자신이 되는 법

○

나는 내가 생각하는 '나'가 아니다
나는 그 생각이 떠오르는 공간이다

'나'의 이야기

왜 당신은 불행할까요?
그 이유는 당신이 하는 모든 일과 생각이
당신을 위한 것이기 때문입니다.
하지만 '당신'이라는 것은 없습니다.

– 웨이 우 웨이

시작점에 '**범우주적 마음**(Universal Mind)'이라 불리는
무한한 가능성과 순수한 잠재력의 들판이 있었다.

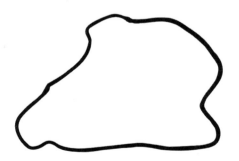

그러던 어느 날, 범우주적 마음의 중간 어딘가에서 당신에 대한 생각이 생겨났다.

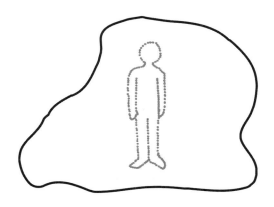

그 생각은 스스로를 인지하며 그 자신을 '**나**'라고 부르기 시작했다.

수년 동안 **나**는 모든 것이 가능한 들판의 가운데서 놀면서 행복하게 살았다. 하지만 시간이 지나며 분열되고 구별되기 시작했다. **나**는 학교에 나가며 독립적이고 자유로운 생각을 하는 능력 있는 사람이 되었다. 살면서 배운 규칙을 따르고, 훈련과 의지력을 원동력으로 삼아 자신만의 길을 만들어 갔다.

나는 점점 더 강해져서 근육을 뽐내거나 '개인의 힘'을 키우기를 즐겼다. 그사이 **나**는 한때 변함없는 동반자였던 **범우주적 마음**을 모두 잊어버렸다.

결국, **나**는 점점 괴로워졌다. 지금 우리 모두가 그렇듯이. **나**는 외롭고 불안했지만 가면을 쓰고 그 감정을 들키지 않도록 모든 애를 썼다. **나**가 나쁜 삶을 산 것은 아니었다. 나쁘지 않은 때도 가끔 있었으니까. 하지만 무언가를 놓치고 있었다.

그러던 어느 날, **나**는 '무한함'이라 불리는 무언가에 대해 듣게 되었다. 그것은 매우 중요하며 장대하게 다가왔고 그 무한함에 닿았을 때 느낄 수 있는 엄청난 평화의 묘사는 **나**가 살면서 들은 것 중 가장 아름다웠다.

그러나 **나**는 그런 허황된 이야기에 속아 넘어가기엔 너무 똑똑해졌다. 이미 **나**의 머릿속에 쓰인 규칙서에는 하늘에 사는 초자연적 존재에 대한 모든 이야기가 자리잡혀 있었다. 게다가 **나**가 여태까지 들은 이야기 중에는 사실이 아닌 것이 더 많았기에, **나**는 그 무한함의 환상에 등을 돌리고 원래 가던 길로 나아갔다. 점점 지쳐갔지만 동시에 그 스스로의 힘과 생각으로 사는 능력을 자랑스럽게 여겼다.

어느 날 **나**가 그 무한함을 만날 때까지.

무한함은 **나**가 머릿속에서 만들어 놓은 이미지와 전혀 같지 않았지만, 이상할 만큼 익숙하게 느껴졌다.

놀랍게도, 그 무한함과 함께 하는 시간이 많아질수록 삶은 더 나아졌다. 무한함과 노는 것은 마치 기억나지도 않는 잃어버린 집을 찾은 느낌 같았다. 곧, **나**와 무한함은 거의 모든 시간을 함께 보냈다.

마침내 **나**는 점점 자신을 **나**로 생각하지 않기 시작했다. 대신 무한함의 바다에 속한 물방울이 되어갔다.

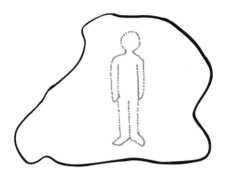

그렇게 어느 날, **나**는 사라졌다. 누군가는 **나**가 죽었다고 말했고, 누군가는 **나**가 깨달았다고 말했다. 그러나 **범우주적 마음**의 무한한 잠재력은 여전히 남아서 계속되었다. 지금까지도⋯

한 가지 진실, 두 가지 질문, 세 가지 원리

사람들의 변화를 이끌어내는 코칭 전문가로 일하며 하나 발견한 것이 있다. 사람들은 문제 해결, 목표 성취, 관계 발전, 잠재력 향상 등 서로 다른 이유로 내게 왔지만, 사실은 모두 자신의 삶을 생생히 느끼며 살아가길 원한다는 것이었다. 그들도 어렴풋이나마 내면 깊은 곳에 자리한 삶의 무언가가 잠들어있다는 것을 알았고, 이에서 깨어나 그 내면의 공간과 연결되어 살아가기를 원했다.

그것을 돕기 위해 나를 올바른 방향으로 안내해 주는 두 가지 질문이 있다.

사람들은 자신의 경험이 어디서 오는지 아는가?

시드니 뱅크스는 깨달음을 통해 모든 불안과 문제들은 삶의 환경과는 아무 연관 없이 오직 생각에서 비롯된다는 사실을 알게 되었다. 이는 '바깥세상'이 존재하지 않는다는 뜻이 아니라, 오로지 우리는 생각을 통해서만 세상을 경험한다는 뜻이다.

이것이 내가 이 일을 **'내면으로부터의 이해'**(The Inside-Out Understanding)라고 부르는 이유다. 자신의 생각이 경험의 근원임을(유전적 요인, 자라온 환경, 개인적 사건 등 외부적 환경이 아니라) 깨달을 때까지는, 삶의 경험을 더욱 나아지게 하기 위해 끝없이 외부적 요인을 고치고 바꾸는 것에 자신의 에너지를 낭비할 수밖에 없다.

생각은 마음이 지닌 무한한 창조적 잠재력과 개인의 삶을 이어주는 '잃어버린 연결고리'이다. 이를 진정으로 이해하기 시작하면 자신의 상태를 개선하기 위해 뭔가를 해야 한다는 충동은 점차 잦아들고, 환경에 상관없이 평온한 상태가 지속된다. 또한 세상에 변화를 줄 만한 새로운 생각에도 마음을 열게 된다.

그 평온한 공간에서 두 번째 질문이 드러난다.

스스로가 신이라는 것을 사람들이 알게 된다면?

나의 동료 마크 하워드가 처음으로 클라이언트를 '내면의 공간'으로 이끌었던 경험을 이야기해 주었다. 경력 초반 그는 마약 중독자, 알코올 중독자들을 도와주는 일로 명성을 키웠고, 스스로도 자신이 하는 일을 자랑스러워했다. 그가 스승에게 자신의 성취를 과시하자 스승은 그에게 말했다. "중독에서 빠져나오는 일을 돕다니 훌륭해, 하지만 그들이 신이라는 것을 아니?"

그 말이 마크에게 큰 충격으로 다가왔다. 그는 자신이 클라이언트들의 잠재력에 비해 아주 작은 변화에 안주하고 있었음을 깨달았다. 그는 클라이언트들 스스로가 신이라는 것을 알면, 그들의 진정한 본성인 무한한 잠재력에 닿을 수 있음을 알게 됐다.

나는 아직도 이런 이야기를 할 때면 신, 종교, 영적인 것에 대한 기존의 관념들이 뒤섞여 혼란스럽고 불편하기도 하다.

그러나 내가 '신'을 말할 때 나는 종교에 대해 말하는 것이 아니다. 잔디를 자라게 하고, 상처를 치유하고, 비를 내리게 하고, 영감이 떠오르게 하는 **삶 너머의 비개인적인 에너지**를 가리키고자 한다. 그 지성은 눈에 보이진 않지만 어디에나 깃들어있는 영혼이다. 물리학자 데이비드 봄David Bohm의 말에 따르면 '모든 생명에 스며있는', '생명 시스템에서 진실로 살아있는' 것이다. 파도가 바다에 속하고, 구름이 하늘에 속하는 것처럼 우리도 그 보이지 않는 생명 에너지에 속한다.

우리가 스스로를 육체와 뇌에 불과하다고 여긴다면, 의지할 곳 없이 홀로 모든 결정을 떠맡고, 오직 신체적 한계와 사회적 배경 그리고 환경이 허락하는 현실만큼만 작동하게 된다. 그러나 새로운 가능성의 원천인 **생각 너머의 깊은 지성**을 인지하면 우리에게 더 넓은 세상이 열리기 시작한다.

누구나 개인적 지식을 초월한 정보와 통찰을 전해주는 지혜를 경험한 적이 있을 것이다. 하지만 이 지혜의 경험은 거의 신화적 상상으로 여겨지며 지혜의 발현을 둘러싼 미신들만 무수히 만들어진다.

그러나 우리가 언제든지 새롭고 신선한 생각에 닿을 수

있음을 알면, 지혜는 더 이상 엄청난 일이나 신비로운 과정으로 보이지 않고, 삶 너머에 자리한 영적 에너지로서 존재하는 깊은 **마음**의 자연스러운 작용으로 보인다.

'**범우주적 마음**'의 본질을 배우고 그 **마음**이 지닌 무한한 창조력을 맛보게 될수록 점점 더 다양한 상황에서도 이에 의지할 수 있게 된다. 이로써 우리는 과거 경험을 통해 쌓인 지식을 뛰어넘는 지혜를 자신의 일부로 받아들이며 영감과 창조의 근원인 미지의 공간에 들어가게 된다.

'**마음**(Mind)'은 시드니 뱅크스가 분류한 인간 경험의 핵심인 세 가지 근본적 원리 중 하나다. 여기서 원리는 더 이상 나눌 수 없는 수준의, 가장 단순한 단위의 기초적 형태를 뜻한다.

여기, 시드가 그의 책 '**잃어버린 연결고리**(The Missing Link)'에서 '**세 가지 원리**(The Three Principles)'를 설명한 구절이다.

'**범우주적 마음**_The Universal Mind_'은 개인과 상관없이 언제나 그대로 흐른다. 반면 개인의 마음은 끝없이 변화하는 상태에 있다. 모든 인간은 자신의 개인적 마음을 범우주적 마음에 일치시켜 삶을 조화롭게 만드는 능력을 지녔다.

'*의식*Consciousness'은 자각의 선물이다. 우리는 의식을 통해 형태를 인지한다. 의식이 있기에 생각을 형태로 느낄 수 있는 것이다. … 건강한 정신은 모든 인간의 의식 안에 존재하지만, 개인의 잘못된 생각에 의해 가려지고 억눌린다. 그러니 우리의 오염된 생각들을 넘어 의식 안에 담긴 순수와 지혜를 찾아야 한다.

'*생각*Thought'은 우리의 삶을 만드는 재료다. 생각으로 각자의 현실세계가 열린다. … 생각은 현실이 아니다. 그러나 생각을 통해서만 우리가 경험하는 현실이 만들어진다.

그래서 이게 다 무슨 소리인가?

우리가 '나의 생각'이라는 환상을 넘는다면, 우리 내면에 잠들어있던 잠재력(**마음**)을 통해 창조적 힘(**생각**)을 재료로 현실을 만들고, 그 현실을 감각할 수 있는 능력(**의식**)으로 삶을 경험한다는 뜻이다.

그러나 질문 하나가 떠오른다. 만약 **마음**, **의식**, **생각**이 우리의 현실을 만든다면, 우리는 누구인가?

진짜 나는 어디에?

빌 게이츠가 당신에게 비즈니스 컨설팅을 받으러 왔다고 상상해 보라. 빌 게이츠에겐 그런 게 필요할 리 없으니 당신은 당황한다. 그러나 곧 그가 기억상실증에 걸려 자신이 누구인지 모른다는 것을 알게 된다.

여기서 당신에게 질문이 있다.

당신은 그에게 사업적 충고를 해주려고 할 것인가 아니면 그가 정말로 누구인지, 그만의 가치가 무엇인지를 떠올릴 수 있도록 모든 노력을 다할 것인가?

그의 본질을 기억나게 하는 것은 아마 최근 마이크로소프트사의 위기(또는 기회)를 다루는 법에 대한 당신의 개인적 식견을 전하는 것보다 오랜 시간이 걸릴 수도 있다. 하지만 결과의 차이는 엄청날 것이다.

이번엔 당신이 기억상실증에 걸렸다면 어떨까? 당신은 당신이 생각하는 자신이 맞을까? 게임 속 캐릭터처럼 그저 정해진 이름과 환경에 따라 당신이 설명되는 것인가?

진짜 당신은 누구인지에 대한 답을 찾기 위해 영국의 철학자 길버트 라일Gilbert Ryle이 그의 책 '마음의 개념(The Concept of Mind)'에서 제시한 '대학(the University)'의 내용을 살펴보자.

한 외국인이 옥스퍼드나 케임브리지대학교에 처음 방문해 학부, 도서관, 운동장, 박물관, 과학 부서, 행정실을 둘러봤다.

그가 묻는다. "그런데, 대학은 어디 있죠? 학생들이 사는 곳, 교무 직원들이 일하는 곳, 과학 실험실 등 나머지는 다 봤지만, 대학의 구성원들이 거주하고 일하는 대학은 아직 못 봤어요."

진짜 대학은 어디일까? 이 중에 있을까?

1. 건물과 땅

2. 학생들과 교수들

3. 학생들과 교수들의 상호작용

4. '대학적인' 특징들을 불어넣는 교육의 정신

5. 위의 것 중 아무것도 아니거나 전부 다

'대학'에 '자아'를 대입하면 '자기 계발'을 하려는 모든 시도의 모순을 보게 된다. 우리가 발전시키려는 분리된 '자아 self'는 어디에 있는가? 이 중에 있을까?

1. 우리의 마음과 몸

2. 우리의 생각과 감정

3. 우리의 행동

4. 라일Ryle이 '기계 속의 유령'이라고 부른,
   우리를 살아있게 하는 정신

5. 위의 것 중 아무것도 아니거나 전부 다

대학의 많은 부분들이라고 말할 순 있겠지만, '대학' 그 자체를 가리키는 하나의 어떤 '것'은 없어 보인다. 마찬가지로, 성장시키려는 정확한 하나의 '분리된 자아' 또한 없다.

영적 탐험을 하던 초기에 '자아'를 양파에 비유한 글을 많이 읽었다. 실험 삼아, 동네 마트에서 진짜 양파를 산 뒤, 그것의 핵심을 보기 위해 한 겹씩 벗겨내 보았다.

실망스럽게도 그 안에는 핵심이 없었다. 가운데의 가장 작은 부분조차도 계속 벗겨낼 수 있었다. 그 결과를 보니 자연스레 '우리 중심에는 공허 말고는 없기에, 삶에는 아무 의미도 목적도 가치도 없다'는 허무주의적 관점이 떠올랐다.

그러나 잠시 후, 한순간에 참된 본성의 광대함을 엿보는 깨달음을 경험했다. 바로 이전에는 텅 비어 아무것도 없어 보였던 양파의 중심이 갑자기 만물로 가득 채워졌다. 내가 앉아 있는 공원의 전체부터, 런던, 우주 너머까지. 무無에서 전부가 되었다. 비어있음은 감정의 충만함이 되었다. 지금까지도 그 느낌을 잊지 못한다.

이와 같은 우리의 진정한 본성은 우리에게 좋은 소식이

다. '진짜' 대학을 찾기 위해 애쓰지 않아도 되는 것처럼, 풍부하고 의미 있는 삶을 살기 위해 자아를 찾아 헤매지 않아도 된다는 걸 알려주기 때문이다. 우리는 아무것도 아닌 동시에 모든 것이다. 그 역설에 거의 모든 비밀이 놓여있다.

–

　　당신은 물방울이다. 그 작고 귀여운 형태에 빛이 반사되어 아름답게 반짝인다. 사람들은 당신의 아름다움을 칭송한다. 곧 당신도 자신이 특별하다고 믿게 된다.

　　그러나 시간이 갈수록 당신은 외로워진다. 다른 동반자를 갈망한다. 외로운 기분을 덜어 줄, 당신이 사랑하는 만큼 당신을 사랑해 줄 다른 물방울을 원한다. 하지만 그런 동반자를 찾아 사랑에 빠져도 외로움은 여전하다.

　　그러던 어느 날, 비가 내리기 시작한다. 70억 개의 물방울이 쏟아져 내리고 당신은 더 이상 혼자가 아니다. 당신이 눈치채기도 전에, 다른 한 물방울과 당신은 하나가 된다. 당신은 여전히 혼자이지만 전보다 큰 존재가 되었다. 각각의 물방울들이 당신과 이어지며, 당신의 존재는 확장된다. 70억 개의 물방울이 하나의 바다가 될 때까지.

당신은 여전히 혼자다. 하지만 모든 것이 완벽하다.

–

집으로 돌아가는 길

스캇 펙M. Scott Peck 박사의 고전 '아직도 가야 할 길(The Road Less Traveled)'에 나오는 구절이다.

'산에 오르고 싶다면, 좋은 베이스캠프가 있어야 한다. 또 다른 정상을 찾는 모험을 하기에 앞서 배를 채우고 쉴 수 있는 대피소가 있는 곳. 능숙한 등산가는 산을 오르는 시간만큼 베이스캠프를 갖추는 일에 충분한 시간을 써야 하는 것을 안다. 견고하게 지어지고 생존물품이 잘 구비된 베이스캠프에 그들의 생존이 달려있기 때문이다.'

저자 스캇 펙 박사는 성공적 결혼에 대한 은유로 이 문장을 썼지만, 개인의 삶에도 꼭 맞게 적용된다. 만약 우리가 삶에서 큰 성취를 하길 원한다면, 산에 오르는 시간만큼 충분한 시간을 베이스캠프 짓기에 써야 한다.

우리의 '베이스캠프'는 무엇인가?

영적 본성 – 전체와의 연결이다.

우리 모두에게는 살면서 형성된 개인의 육체와 성격과는 상관없이 늘 존재하는 **깊은 곳**이 있다. 처음부터 우리와 함께해온 **평화의 공간**은 삶의 중요한 순간마다 우리를 안내해 주었다. 그 **내면의 지혜**는 일상적 의식 차원이 아닌 다른 어딘가에서 갑자기 온 것처럼 보였지만 상황에 꼭 필요한 진실만을 알려주었다.

내면의 공간과 연결될 때, 우리는 자신의 광활한 가능성을 알아보게 된다. 세상이 벅차게 느껴지더라도, 기꺼이 그 거대한 세상에 사는 도전을 한다. 이해가 깊어지며 우리 **안의 공간** 역시 거대해지기 때문이다. 바로 그곳에서 기적이 일어난다. '**아무도 꿈꿀 수 없던 뜻밖의 사건들, 만남들, 물질적 도움과 같은 동시성이 우리의 길**' 위에 놓인다. (등산가 W. H. 머리의 책에 나오는 구절_W.H. Murray, The Scottish Himalayan Expedition, J.M. Dent, 1951, page 7)

그곳으로부터 우리는 세상을 마주할 수 있다는 느낌을 받는다. 우리가 그 세상이기 때문이다.

그러나 왜 우리는 '베이스캠프'로 가는 방향을 잃는가? 왜 이렇게 자주 작아지고 부족하고 충분하지 못한 느낌을 받는가? 왜 모든 것이 가능해 보이던 순간은 곧바로 아무것도 할 수 없을 것 같은 순간으로 뒤바뀌는가?

우리는 생각의 세상을 살아간다는 사실을 미처 **알아차리지 못하기 때문**이다. 생각은 희망과 절망의 설계자이자, 감정 무지개의 원천이다. 생각 없이는 현실의 윤곽이 그려지지 않는다. 생각 없는 세상은 빛이 프리즘을 통과해 다양한 색으로 나눠지기 전, 순수한 빛만 남아있는 모습일 것이다.

그러나 우리가 생각의 세상을 알아차리지 못하면 생각은 곧 우리의 의식을 가득 채우고 주의를 빼앗는다. 결국 그렇게 생각에 갇혀버리면 우리는 자신의 길을 잃게 된다.

그것은 마치 베이스캠프에 새어 들어온 안개에 방향을 잃는 것과 같다. 생각의 '안개'는 아름다운 환영의 모습으로 나타나 우리를 속이거나, 얼음장 같은 온도로 우리를 마비시킨다. 이미 우리 안에 존재하는 평화를 시야에서 가려 버리고, 안개가 걷힐 때까지 기다리는 대신 즉각적인 처치를 찾아 헤매게 만든다.

사실, 기다릴 필요도 없다. 그저 안개로부터 눈을 돌리고, 소음으로부터 등을 돌리면, 삶의 어떤 곳에 있건 집으로부터 **단 한 생각**만큼만 떨어져 있다는 것을 깨닫게 된다. 등산 비유와는 다르게, 우리는 베이스캠프를 내면에 품은 채로 삶이라는 산에 오른다. 우리가 그 진실을 아는지 모르는지만이 유일한 변수다.

우리는 이미 집이다. 항상 집에 있었다. '나'만의 생각에 사로잡히지 않을 때, 그것을 더 쉽게 느낄 수 있다. 집을 떠나지 않고도 세상의 많은 산에 오를 수 있다는 것을 알면,

두려움은 내려놓은 채로 즐겁게 새로운 것들을 시도할 수
있다.

2

생각은
내가 생각하는 것이 아니다

⟲

생각의 본질을 이해하면
생각이라는 환상으로부터 자유로워진다

자살에 대한 생각

세상이 얼음이라면, 진리는 그 얼음을 만든 물이다.
- 압드 알 카림 알 질리

1986년의 어린 나는 행복하지 않았다. 특별히 행복하지 않을 만한 환경에서 자란 건 아니었다. 가족들에게 사랑 받았고, 건강했고, 친구들도 있었으니까. 그러나 행복하지 않았다. 지금 와 생각해 보니 '자살사고'가 있었던 것 같다. 그 당시 거의 매일, 하루 종일 자살하는 것을 생각했다는 말이다.

하지만 예상되는 것만큼 심각한 문제는 아니었다. 꽉 찬 수업 스케줄로 바쁜 대학생이었기에 생각할 시간 자체가 없었기 때문이다. 그럼에도 늘 그 생각이 배경처럼 깔려 있었다. 바깥세상이 조용해지면, 내면의 소음은 엄청나게 시끄러워졌다.

학기가 시작되고 몇 달이 지나자 그 소음이 정점에 치달았다. 지금이라면 '정신착란'이라 불렸을 것이었다. 그것이 어떤 느낌인지 알고 싶다면, 거대한 진공청소기가 갑자기 하늘에 나타나 당신이 쉬고 있는 기숙사 방의 창문을 열고 당신의 심장을 빼내려 한다고 상상해 보자.

그것은 나를 실제로 위협하는 경험이었다. 그 순간에는 정말로 그런 일이 일어나는 것 같았기 때문이다. 목숨을 걸고 기숙사 벽을 붙잡았다. 바닥에 있는 전화기에 겨우 한 손을 뻗어 자살예방 상담센터로 전화를 했다. 하지만 '현재 회선이 모두 사용 중입니다. 나중에 다시 시도해주세요'라는 멘트가 흘러나왔다.

거대한 진공청소기가 나를 빨아들이고 있는 긴박한 상황에, 그 안내 멘트가 좀 웃긴다고 느껴졌다. 지금 와 돌이켜보면 그 말보다 나를 도와줄 수 있는 더 나은 말은 누구에게도 듣지 못했을 것 같다.

왜?

자살에 대한 생각으로 가득 차 있던 머리가 한순간에 그 멘트가 웃긴다는 생각으로 뒤바뀌어버렸으니까. 상황은 바뀌지 않았지만, 더는 감당할 수 없을 만큼 강렬한 현실로 보이지 않기 시작했다. 나는 다시 손을 뻗어 친구에게 전화를 걸 수 있었고, 곧바로 달려와 준 친구 덕분에 잠에 들 수 있었다.

다음 날 아침에 일어나 깊은 곳의 무언가가 바뀐 것을 느꼈다. 더 이상 자살하고 싶지 않았다. 죽고 싶지 않았다. 실은 죽기가 너무 싫었기에, 창문으로 빨려 나가지 않도록 온 힘을 다해 방에 남아 있으려 애썼던 것이다.

그때 처음으로 단지 머릿속에 생각이 있다고 해서 그게 **나**의 생각은 아니라는 것을 깨달았다. 머릿속 생각은 진실을 의미하지도 않았고, 실제 내가 생각한다는 뜻도 아니었다. 그저 내 머릿속에 생각이 있다는 뜻이었다.

다음번에 내 머릿속에 자살에 대한 생각이 들어 왔을 때, 더 이상 무서워하지 않았다. 그 생각에 뭘 어떻게 하지 않아도 된다는 걸 깨달았다. 그냥 생각일 뿐이니까.

생각의 본성

우리가 머릿속 생각을 기반으로 현실을 '구성'한다는 사실을 보여주는 유명한 그림이 있다.

잠시 그림을 살펴보자. 큰 코에 초췌한 모습을 한 늙은 여성이 보이는가 아니면 작은 코에 흩날리는 속눈썹을 가진 젊은 여성이 보이는가?

이것이 정말로 늙은 여성이나 젊은 여성의 그림인가?

둘 다 맞을 수도, 둘 다 아닐 수도 있다. 중요한 건, 질문이 우리가 마음의 작동원리를 이해하는 방식을 가리킨다는 것이다. 우리는 마음이 '바깥세상'에서 실제로 일어나는 일을 녹화하는 카메라와 같다고 오해한다. 마치 카메라를 어떻게 사용하는지에 따라 세상을 다르게 경험할 수 있을 것처럼 말이다.

그 관점으로 본다면 그림은 어떤 각도에서는 늙은 여성으로 찍힐 것이고, 또 다른 각도에서는 젊은 여성으로 찍힐 것이다. 우울하게만 보이는 삶에서도 아름다운 면을 찾을 수 있다는 말과 비슷하다.

이러한 개념이 발전한 게 '긍정적 사고'다. 만약 우리가 태도를 바꾼다면 – 마음 카메라의 각도를 바꾼다면 – 삶의 경험을 다르게 할 수 있다는 것이다.

그러나 그림은 늙은 여성도 젊은 여성도 아니다. 그저 종이 위에 그려진 선들의 연속일 뿐이다. 우리는 의식적으로 노력하지 않아도 늙은 여성과 젊은 여성 모두를 창조하는 존재다. 그것이 바로 **생각**의 힘이다.

여기 다른 시각적 착시를 부르는 '카니자Kanizsa 삼각형'

그림이 있다.

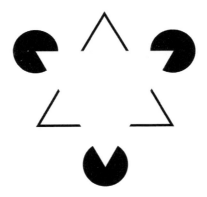

위 그림에 하얀색 뒤집어진 삼각형과 검은 선의 삼각형 그리고 세 개의 검은 점이 겹쳐 있다는 걸 단번에 볼 수 있을 것이다. 물론, 온전한 삼각형과 점의 모양은 머릿속에서 상상으로 그린 것이다(나는 그림을 보고 게임 '팩맨'의 캐릭터를 떠올렸는데, '포춘쿠키'나 '한 조각이 빠진 파이' 모양 같다고 하는 사람도 있었다).

마찬가지로 누군가 '나를 화나게 만들' 때, 정말로 그 누군가가 우리의 화를 불러일으키는 것처럼 보여진다. 하지만 '나'의 생각이 가라앉으면, 그 화는 사라진다. 이처럼 다른 누군가가 나를 특정 감정을 느끼도록 만들 수 있다는 관념은 '흰색 삼각형'처럼 허상이다.

물리학자 데이비드 봄이 말했다. *'생각은 우리의 세상을 만들고 "내가 안 했어"라며 발뺌한다.'*

우리는 생각의 세상을 살아간다. 그러나 우리는 바깥세상을 경험하며 산다고 착각한다. 마음은 바깥세상을 그대로 담는 '카메라'가 아니라 생각을 비추는 '프로젝터'다. 우리는 '마음 안에서' 그려낸 경험과 '밖에서' 일어나는 일을 구분하지 못한다. 그 혼란이 더 많은 혼란을 부른다.

우리가 하는 생각의 내용은 '생각만큼' 중요하지 않다

근본적 원리는 우리의 믿음과는 상관없이 진실이고 불변하며 늘 작동하는 것을 뜻한다. 예를 들어, 중력은 물리적 세계의 근본 원리다. 갈릴레오가 기울어진 피사의 사탑에서 다른 질량의 두 물체를 떨어뜨림으로써 중력을 입증할 때, 중력에 대한 우리의 믿음은 아무 영향도 주지 않는다. 당신의 손에서 물체가 떨어질 때의 속도와 속력에도 마찬가지다. 만화 속 캐릭터와는 다르게, 우리는 절벽에서 발을 떼는 순간 곧바로 떨어진다. 우리가 중력을 믿든 말든 상관없이 말이다.

마찬가지로 세 가지 원리에서 말하는 **생각**은 우리가 하는 생각의 내용을 가리키지 않는다. 우리가 개인적 현실을 만드는 데 사용하는 무형의 창조적 에너지 자체를 뜻한다. 눈사람을 만드는 눈처럼, 현실을 만드는 마음의 찰흙인 것이다. 찰흙으로 모양을 빚듯이, 생각하는 데 **생각**을 사용할 뿐이다.

그런 의미에서 **생각**은 우리의 머릿속을 헤집고 돌아다니는 사사로운 생각이 아니다. 머릿속 생각은 이미 형태를 갖춘 것이다. 한번 머릿속에 들어온 생각은 더 이상 순수한 찰흙이 아니다. 찰흙으로 만들어진 것이다. 그 생각이 긍정적이든 부정적이든, 정확한 계산이든 천진한 상상이든, **생각**은 잠재력을 품은 채 그대로 존재한다. 당신의 습관적 생각이 얼마나 엉망이건 상관없이, 형태를 갖춰 새로운 뭔가가 되길 바라는 깨끗한 찰흙 한 통이 늘 기다리고 있다.

이 과정에서 반복적으로 일어나는 난관이 있다. 우리는 그 모든 경험의 일부만이 **생각**에서 비롯되었다고 착각하고, 나머지 경험은 모두 생각이 아닌 '진짜'라고 믿는다는 것이다.

내가 건강에 대해 걱정한다고 가정해 보자.

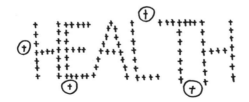

나는 '건강(HEALTH)'을 둘러싼 ⊕들이 생각으로 만들어진 것을 안다. 그것들은 나를 미치게 하며 나를 잠 못들게 만든다. 그래서 그 생각을 고치려 노력한다. 긍정적으로 생각하려 하고, 걱정으로부터 멀어지려 애쓴다. 아니면 그것에 대해 덜 생각하려고 하거나 아예 생각하지 않으려

한다. 그러나 그런 모든 노력에서 빠진 것은 '건강 (HEALTH)' 자체가 모두 **생각**으로 만들어졌다는 사실이다.

—

빙산을 떠올려 보자. 빙산은 그 안에서 샘솟는 물과 형태는 다르지만 같은 물질로 이루어졌다. 빙산 주위를 둘러싼 구름까지도 본질적으로는 빙산, 물과 동일한 물질로 만들어졌다.

—

사람들이 자신의 생각만 아니면 압박이나 스트레스를 경험할 필요가 없을뿐더러 완벽하고 완전한 자신으로 삶을 살아갈 수 있음을 알면, 오히려 생각 자체에 짜증이 날 수도 있다. **생각**을 여름날의 모기 같은 성가신 적으로 느끼며 그 '머릿속을 어지럽히는 소음'에서 벗어나고자 명상을 하거나 주의를 돌리려 애쓰기 시작한다.

생각 하나 없는 고요한 마음은 분명 가치 있는 목표가 될 수 있겠지만, 이를 위해 생각을 없애려는 노력은 최악의 전략에 가깝다. 생각하지 않으려고 애쓸수록 생각은 점점 더 강하게 나타난다. 얼마 안 가 '고급 명상 프로그램'에 등록하거나, 대용량 와인을 주문해야 할지도 모른다. 생각을 없애려 할수록 없애야 할 더 많은 생각이 나타난다. 때때로 생각 없애기에 성공한다고 하더라도, **생각**의 에너지는 계속해서 새로운 생각을 일으키고, 결국 어느 순간 우리가 질 수밖에 없는 게임을 하고 있었음을 깨닫고 만다.

생각을 막으려는 시도 대신, 잠시 앉아 긴장을 풀고, **생각**의 찰나적 본성에 주의를 기울여보자. 곧 온갖 형태로 드러나는 **생각**과, 멈추지 않고 삶을 펼치는 **마음**을 알아차리게 될 것이다. 우리의 생각은 하늘 위의 구름, 물리 실험실의 입자, 놀이터의 그림자와 같이 그저 끊임없이 형태를 바꾸며 이동하는 에너지일 뿐이다. 우리는 평소 그림자가 있건 없건 신경 쓰지 않으며, 매번 달라지는 그림자 모양의 의미를 알아내려 하지도 않는다. '나쁜' 그림자를 피하려고 또는 '좋은' 그림자를 만들려고 애쓰지 않는다. 빛이 있는 곳에 그림자도 있다는 사실을 알기 때문이다.

우리의 생각이 하늘의 구름처럼 덧없이 사라지는 것이

보이기 시작하면, 생각이 어떤 모습으로 나타나더라도 생각 자체의 아름다움을 느낄 수 있다. 구름이 곰이나 사자 모양으로 나타나더라도 우리를 해칠 수 없듯이, 우리를 두렵게 만드는 그 모든 무서운 생각들도 그 자체로는 아무 힘이 없다. 누가 로또에 당첨될 것인가, 유리병 속에 얼마나 많은 젤리가 들어있는가와 같은 시시한 생각과 똑같을 뿐이다.

물론 때때로 무서워 보이는 구름이 우리의 눈을 사로잡고 그 구름이 폭풍을 일으킬 것이라는 생각에 휩쓸릴 수 있다. 그러나 우리는 생각이 아니라 그 생각이 떠오르는 공간이다. 이 사실을 떠올리는 순간, 북극 탐험가가 오로라를 보듯, 경이로움으로 폭풍을 경험할 수 있다. 하늘의 광활함을 느낄 수도 있다. 폭풍우가 힘을 다하면 순리대로 지나가듯, 우리의 생각도 그렇다. 이것을 알면 더 이상 생각의 내용에 휘둘리지 않고, **생각**이라는 선물, 그 생각을 경험하게 해주는 **의식**, 끊임없이 삶을 펼치는 **마음**이라는 존재와 깊이 연결되기 시작한다.

많은 내용을 간단하게 줄여야 한다면 이렇다.

- 당신은 이미 그대로 완벽하고, 완전하고, 정신적으로
  건강하다.
- 하지만 당신이 원한다면, 그 사실과는 반대되게 스스
  로를 속일 수도 있을 것이다.

3

인간적인,
너무나 인간적인

〇

위대한 목표는
인간적 경험으로부터 도망치는 것이 아니라
그것을 껴안은 채 초월하는 것이다

행복만 쫓는 것을 멈추고

오직 두려움 때문에 사랑의 평화와 사랑의 기쁨만을 찾는다면,
그대의 알몸을 가리고 사랑의 타작마당을 지나가야 할 것이다.
웃지만 마음껏 웃을 수 없는, 울지만 마음껏 울 수 없는
계절 없는 세상으로.
– 칼릴 지브란

내가 심리학과 영적 분야의 공부를 시작한 건 지극히 개인적인 이유에서였다. 그 당시 나는 심한 우울감을 느끼며 정서적으로 불안정했다. 꼭 뇌의 화학적 반응의 희생자가 된 기분이었다. 내 안의 위협적인 적을 물리쳐줄 것 같은 그 무엇이든 찾아다녔다. 이후 18년 동안 다양한 분야를 공부했다. 긍정심리학부터 사고장치료(TFT), 신경언어프로그래밍(NLP)까지 아홉 개의 다른 분야에서 자격증을 취득했다. 또한 마약과 알코올 같은 다양한 '약물'도 시도해

봤고, 내가 '행동적 항우울제'라고 이름 붙인 다양한 의식과 수행도 행했다.

그러나 이런 풍부하고 다양한 이론, 수행, 방법론을 시도하면서도, 나의 목표는 언제나 똑같았다. 감정적 경험을 통제해서 오직 행복의 상태로만 나아가는 것. 분노, 슬픔, 불안, 공포 같은 감정을 뺀 오직 긍정적 감정만 있는 삶 말이다.

실제로 내 삶은 분명 더 나아졌다. 나는 점점 덜 불행해졌고, 불행의 어둠이 날 덮치려고 할 때 높은 수준의 기술로 제어할 수 있었다.

'내면으로부터의 이해'도 나의 어두운 본성과의 전쟁에서 쓸 새로운 무기를 찾다 우연히 발견하게 됐을 뿐이었다. 처음에 그것은 내가 찾던 기술이 아닌 것 같았다. 나는 내 기분을 자유자재로 다루는 방법을 찾고 있었는데, 그 기분들은 내 본질을 반영하는 것이 아니라는 뜻밖의 내용을 말해주었으니까.

"다양한 감정은 우리 깊은 중심에 자리한 평온함 위를 흐르는 잔물결이다"

솔직히 말해서 이 발견은 해방감과 동시에 불편함을 함께 가져왔다. 삶의 대부분을 내 감정들과의 전쟁에 바쳤는데, (심지어 그 전쟁에서 이기기도 했는데!) 그것이 그림자를 정복하고 상상의 적을 물리친 것이었다니 좀 허무했다. 하지만 점점 **마음**의 평화에 깊게 닿으면서, 그 깨어남이 기분 좋게 느껴지기 시작했다.

곧이어 나는 내가 겪었던 증상의 근원을 깨닫게 되었다. 그리고 그것에 이런 이름을 붙였다.

감정공포증 (Emotophobia)
  1. '부정적', '비생산적'으로 여겨지는 감정에 대한
    비정상적이고 병적인 공포

모순되게도, 내가 '감정공포증'을 겪고 있음을 처음 알아차린 것은 NLP(신경언어프로그래밍) 교육을 공동으로 주도하며 무대 공포증을 가진 사람들을 위한 대규모 '공포증 치료'를 하던 때였다. 무대 공포증을 없애기 위해 수백 명의

사람들이 차례로 무대에 올라 수많은 청중 앞에서 연설을 했다. 나의 동료는 그중에서도 특히나 공포의 정도가 심했던 한 사람을 지도했다. 내 동료의 도움으로 비교적 빠르게 그 사람의 공포가 최고점 10에서 3으로 떨어졌지만, 동료는 공포가 완전히 사라질 때까지 만족하지 않았다.

한 시간 정도의 사투 끝에, 그의 공포가 완전히 사라졌지만, 나는 그것과 반대되는 내용의 통찰을 얻었다.

'지금까지 전혀 두렵지 않아서 무대에 올랐던 것이 아니라, 무대에서 때때로 두려워졌음에도 크게 신경 쓰지 않았던 거였어.'

생각해 보니, 나도 점수를 매기자면 사람들 앞에서 말할 때 3점 또는 그 이상의 두려움이 있었다. 하지만 그것을 크게 생각하지 않았을 뿐이었다. 그로 인해 두려움 그 자체는 내 발표에 영향을 끼치지 않았다. 감정이 일을 방해하는 경우는, 어떤 일을 성공적으로 수행하기 위해선 '특정한 감정 상태를 유지해야만 한다'는 생각에 사로잡힐 때만 일어났다.

한번 이것을 알아차리자 나는 나의 감정 날씨를 덜 걱정하기 시작했다. 그리고 이 '감정공포증'이 우리 사회에 만연하다는 것과 우리의 행동에 (그리고 자기계발 서적의 판매량에!) 큰 영향을 끼친다는 것을 알게 됐다.

'부정적 감정'에 대한 두려움을 눈으로 직접 보고 싶다면 동네 마트에만 가도 된다. 한 아이가 울음이 터지길 기다린 다음 주변 어른들의 반응을 보라. 1분 이내에 적어도 한 명은 경멸에 차 머리를 흔들 것이고(아이와 부모 모두를 향해서), 대부분의 사람들은 이 드라마에 휩쓸리지 않도록 돌아설 것이고, 이 중의 한 명 정도는 아이를 도와주러 다가올 것이다.

공포를 극복하고 삶에 대한 감정을 바꿀 수 있도록 수천 명의 사람들을 도운 경험이 있기에, 기술과 연습을 통해 우리의 감정 상태를 바꿀 수 있다는 사실을 인정하지 않는 것은 아니다.

그러나 어떠한 감정이든 그저 순간순간 우리의 마음을 거쳐 가는 생각의 그림자일 뿐이라면, 왜 감정을 바꾸기 위해 애쓰고 노력해야 하는 걸까?

진실은 이렇다.

감정에 해결책은 필요 없다.

우리 모두 이 사실을 인지하지 않기 때문에, 감정을 더 '낮게' 만들고, '해결' 또는 '제거'하기 위해 엄청난 시간과 에너지를 쏟는다. 이는 마치 날씨를 고치려는 것과 같고, 빨간색 티셔츠를 보면 기분이 나빠진다고 여기며 빨간색 티셔츠를 입은 사람들을 피하는 것과 같다.

한 심리학자가 시드니 뱅크스와 대화를 나누고 질문을 했다. "그거 흥미로운 이야기네요 시드, 그런데 화가 날 때는 어떻게 해야 하나요? 그저 억누르라고 말하는 건가요? 그러면 그 화는 어디로든 새어 나오지 않나요?"

시드는 그 질문이 잘 이해가 안 된다는 눈치였고 이에 옆에 있던 그의 친구가 도와 설명했다.

"시드, 내 생각에 이분은, 분노의 감정에는 어떻게 대응해야 하는지 묻는 것 같아."

친구의 부연 설명도 도움이 되지 않았다. 둘은 계속해서 질문을 명확히 하고자 애썼고 시드도 진지하게 둘의 말을 들었다.

결국 심리학자가 화를 내며 물었다. "당신은 절대로 화가 나지 않나요?"

"당연히 나죠!" 시드가 말했다.

"그럼 당신은 화가 날 땐 어떻게 하나요?"

시드가 그 어느 때보다 혼란스러운 표정으로 대답했다.

"제가 왜 그것에 뭘 어떻게 해야 하나요?"

기분이 좋을 땐 좋다고 느끼고, 기분이 나쁠 땐 나쁘다고 느껴도 괜찮다. 생각은 변화하고 그것에 따른 감정도 변한다. 이를 이해하면, 하나의 감정을 다른 감정보다 더 선호할 필요가 없다. 고치려고 애쓸 필요도 없다.

그것을 진정으로 깨닫게 되면, 삶을 더 가치 있게 만들어주는 깊은 감정들을 경험하기 시작한다.

인간미 넘치는 삶에 오신 걸 환영합니다

한번 '내면의 공간'으로 시야가 트이자, 우리가 지닌 무한한 잠재력에 비해 모두가 너무 작은 부분 안에서 살아간다는 것을 알게 되었다. 수십 년을 자기계발, 긍정 심리학, 자아 성장 분야에서 활동했지만 나는 여전히 비겁하고 쪼잔하고 작은 마음의 소유자이다. 내 최선의 노력에도 불구하고(그리고 이 분야의 다른 많은 멘토들의 도움에도 불구하고), 나는 아직도 우스꽝스러울 정도로 비이성적인 모습으로 공포와 불안에 잠식되기도 한다.

그런 모든 노력을 하고도 나의 삶이 조금도 나아지지 않았다고 말하려는 게 아니다. 자살 충동과 우울증을 겪은 십 대에서, 믿을 수 없을 만큼 행복하고 사랑받는 '성공한 어른'이 되었으니까. 하지만 어렸을 적 나를 불행하게 만들었던 그 불안의 생각들은 지금도 여전히 내게 찾아오곤 한다. 다만 이제는, 내가 얼마나 '영적으로 깨어났건' 상관없이, 여전히 그리고 앞으로도 계속 인간적인 감정들을 마주해야 한다는 사실을 받아들였을 뿐이다. 그것이 유일하고도 큰 차이다.

이 지점이 '내면으로부터의 이해'와 전통적 심리치료 사이에서 내가 느낀 가장 큰 차이점이다. 일반적인 심리 상담사나 구루guru에게 불행한 유년기나, 배우자 또는 자녀와의 불화, 또는 재정적 불안 등으로 고통받는다고 말한다면, 그들은 재빨리 그 문제들을 긍정적인 시각으로 재구성해 당신의 위대함을 강조할 것이고, 더 행복한 유년기, 더 나은 결혼 생활, 더 풍요로운 재정 상태로 가는 '7가지 단계'를 제시할 것이다.

하지만 **우리의 감정이 바깥세상이 아닌 자신의 생각에서 비롯된다**는 사실을 이해한 사람이 도움을 준다면 아마 이렇게 말할 것이다. "나도 마찬가지야, 인간미 넘치는 삶에 온 걸 환영해". 그리고 그들은 온갖 기법과 전략 대신 당신의 내면, 새로운 경험이 일어나는 당신 안의 깊은 공간을 가리킬 것이다. 때때로 찾아오는 불안한 생각과 그것을 증폭시키는 우리의 반응에도 불구하고, 우리 본연의 안정감과 평화에서 비롯되는 지혜가 우리를 편안하고 우아한 삶으로 이끌 것이다.

나는 앞으로 점점 더 자만심을 내려놓고, 더 겸손해지며, 나 자신의 그림자를 덜 무서워하고 싶다. 하지만 이런 허영심, 오만함, 두려움이라는 동반자가 찾아오는 때에도, 여전히 아름다운 삶을 살 수 있음에 감사하다.

행복 너머로

어린 아이들(혹은 할리우드 배우들)과 함께 시간을 보내면, 행복에서 슬픔으로, 슬픔에서 분노나 두려움으로, 두려움에서 사랑으로 … , 감정의 이동이 끊임없이 반복된다는 걸 알게 된다.

나는 이러한 현상을 '감정 곡선 그래프'라고 부른다. 우리의 기분과 감정의 오르내림이 수학 그래프처럼 일정하고 예측 가능한 패턴으로 그려지기 때문이다.

물론, 일반적인 곡선 그래프가 이런 모양이라면,

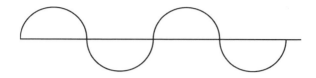

우리의 감정 곡선 그래프는 이런 모양에 가까울 것이다.

문화적 이유 때문인지 우리는 오르내림을 추적하고 설명하는 것에 대해 주식 시장의 트레이더나 투자자들만큼이나 강박적인 경향이 있다. 주식 시장과 마찬가지로 비밀의 마법 공식을 발견하기만 하면, 불쾌한 하락을 피하고 오랜 시간 동안 곡선의 최정점에 오를 거라는 희망도 품고 있다.

이를 위해 우리가 흔히 시도하는 첫 번째 전략은, 긍정적 생각의 마스터가 되려는 것이다. 사람들은 누구나 감정이 생각을 따른다는 것을 어렴풋이 알고 있다. 그렇기에, 감정을 통제하기 위해 생각을 조절하려는 것이다. 앞서 보았듯이, 이 전략의 문제는 생각을 계속 통제할 수는 없으며, 거의 모든 사람들이 이 '속여라, 될 때까지'의 접근법에 반작용까지 경험한다는 것이다.

인위적으로 변경한 곡선은 다음 모양과 같다.

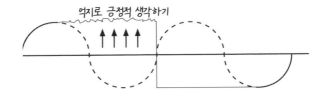

긍정적인 감정 상태를 오랫동안 유지할 수도 있겠지만, 마치 올림픽 역도 선수가 세계 신기록을 세우려고 할 때처럼, 우리의 주의가 1초라도 흔들리면 모든 것이 큰 소음과 함께 땅에 곤두박질치고 만다.

감정 곡선 그래프의 상승과 하강을 피하기 위한 두 번째 전략은 감정을 완전히 없애려고 하는 것이다. 1에서 10까지의 척도에서 중간인 5 정도에 머무르려는 것이다. 이런 무감정의 상태는, 감정의 상승과 하강으로 인한 괴로움에 비하면 나름 안정적으로 느껴지기에, 마음의 평화와 혼동하기가 쉽다. 하지만 마음이 평화로운 상태에는 좋은 느낌이 들지만, 무감정의 상태에는 아무것도 느껴지지 않는다.

다행히도 이 감정의 무지개 아래에는 금광이 숨겨져 있다. 어떤 상황이나 생각 그리고 기분과는 무관한 깊은 감정의 세계는 언제나 열려있다.

우리는 이런 깊은 감정에 '감사', '겸손', '경외감', '평화로움', '기쁨', '행복' 같은 이름표를 붙이곤 하지만, 그 감정의 특별한 점은 이름이 아닌 무조건성이다. 그 깊은 감정은 우리 삶의 상황이 어떻건, 변함없이 늘 존재한다. 우리의 감정이 펼쳐지는 표면 아래에 자리한 심연의 공간에서 생각은 떠오르고 또다시 가라앉기 때문이다.

깊은 감정의 세계는 태어날 때부터 우리에게 주어진다. 우리의 시작부터 함께하며 개인적 생각의 환상에 오염되지 않은, 그저 순수한 살아있음의 감정이다. 내가 어떤 감정 곡선에 놓여있건, 우리의 생각이 가라앉는 순간, 그 깊은 감정은 표면으로 점점 떠올라 나의 의식에 닿는다.

나는 가끔 이 깊은 감정을 물의 관점으로 바라본다. 평화와 풍요로움으로 흐르는 강, 언제나 닿을 수 있는 존재의 우물, 나를 감싸고 있는 의식의 바다.

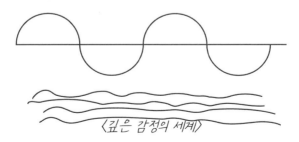

〈깊은 감정의 세계〉

아마 이런 모습이지 않을까?

—

아름다운 강가에 안정적으로 자리 잡고 있는 거대한 바지선이 있다. 그 큰 공간의 중앙에 거대한 롤러코스터가 있다. 여정을 떠나는 당신의 자리는 맨 앞 좌석이다. 롤러코스터는 바지선 바닥 아래를 흐르는 강물의 흐름에 따라 올라가고 내려간다. 때로는 잠시 멈추었다가 제일 높은 곳으로 올라가고, 또 제일 낮은 곳으로 떨어진다. 때로는 방향을 잃을 만큼 거칠게 돌아가고, 가끔은 쉬엄쉬엄 가기도 한다.

이제, 여태껏 눈을 감은 채로 롤러코스터를 탔다고 상상해 보자. 당신은 지금까지 롤러코스터는 세계라고 믿고, 강물은 존재하지 않는 신화라고 믿어 왔다. 롤러코스터에서 처음으로 눈을 뜬 순간 무슨 일이 일어날까? 그리고 눈을 뜨고 바라보는 매 순간은 어떻게 다르게 보일까?

처음에는 어지러운 속도로 올라가고 내려가는 롤러코스터를 따라 빙빙 도는 풍경을 보기가 무섭고 혼란스러울 것이다. 하지만 롤러코스터가 제일 높은 봉우리에 오른 순간, 처음 보는 강의 아름다움에 넋을 잃는다. 그 순간이 끝나지 않기를 바란다. 하지만 롤러코스터는 또다시 바닥으로 하강하고, 당신은 모든 것을 잃은 기분을 느낀다.

그러나 시간이 지날수록, 점점 롤러코스터에 몸을 맡기게 된다. 모든 오르내림을 제어하려 애쓰는 시간이 줄어든다. 롤러코스터가 이끄는 길을 따르며, 바깥 풍경을 즐기기 시작한다. 롤러코스터가 어떤 방향을 향하건, 강물이 바닥을 든든하게 받쳐준다는 사실에 편안해진다. 강의 시작점이 어디인지, 어떻게 당신이 그 강 위에 있는지, 강이 이끌어줄 다음 길은 어디인지⋯를 떠올리며 강의 신비로움에 빠진다.

‒

난 언제나 초월이란 무언가를 지나쳐 가는 것이라 생각했다. 마치 깨달음을 향해 질주하는 차에서 백미러에 점점 작아지는 풍경을 바라보듯 말이다. 그러나 초월은 무언가를 지나쳐 버리는 것이 아니라, 그 속 깊숙이 들어가 확장하는 것이었다. 삶의 진창 위를 떠다니는 게 아니라 두려움 없이 그 진창 안으로 들어가는 것에 가까웠다.

그런 면에서 영적 본연을 깨우는 것은 러시아 인형 마트료시카의 모습을 하고 있다. 낮은 수준의 의식과 이해를 품을 때에야 비로소 더 높은 수준의 의식과 이해로 확장할 수 있다. 영적 이해는 현실 도피를 위한 전략이 아닌, 우리를 품어주는 안전망이다. 마음의 평화와 지혜는 우리가 언제 넘어지더라도 항상 우리를 품어주며 우리가 인간적 생각과 감정을 더욱 깊이 있게 경험하도록 도와줄 것이다.

이제 나는 억지 이야기를 꾸며 극적 드라마로 과장하지 않고서도 삶이 안겨주는 자연스러운 굴곡을 온전히 경험할 수 있다. 삶의 정점에 취하지 않고, 삶의 나락에 두려워하지 않아도 된다. 괴로움 없이 눈물 흘릴 수 있고, 겁먹지 않고 두려움을 느낄 수 있다. 내 영혼의 신성함이 나의 인간성을 품어주고 이끌어 주기 때문이다. 나의 가슴은 산산조각으로 부서지지 않고도 활짝 열릴 수 있다.

행복만 쫓는 것을 놓아버리자, 마법 같은 가능성과 깊은 진실이 펼쳐졌다. 시간을 초월한 내 안의 공간이 드러났다. 높고 낮음에도 변함없이 존재하고, 나약한 상태에도 언제나 강인한 지혜와 평화의 강물이 내게로 흐르기 시작했다.

이 변함없는 **마음**이 우리 존재의 원천이자 진정한 평화의 근원이다. 기분이 안 좋아지는 순간은 어김없이 찾아오지만 더는 고민하지 않는다. 해결하려 하거나 잊으려 애쓰지도 않는다. 어떠한 감정이든 지나가기 마련이다. 우리를 받쳐주는 삶의 강물이 계속해서 흐르기 때문이다.

4

마음의 평화

마음의 평화는
영적 여행의 길이자 목적지다

더 깊은 곳으로

무엇이 명상인가에 대한 물음이
명상으로 가는 문을 열어줄 것이다.
- 지두 크리슈나무르티

처음 세 가지 원리를 배우기 시작했을 때, 나는 언제나
처럼 나 자신을 그 안으로 내던져버렸다. 관련된 모든 책을
반복해서 읽고, 들을 수 있는 오디오 자료를 다 듣고, 모든
강의에 참석하고, 기회가 있을 때마다 세 가지 원리를 먼저
경험한 이들에게 질문을 해댔다.

그러던 어느 순간 내 마음속이 확연히 조용해진 것을
느꼈다. 우리의 감정은 바깥 상황이 아닌 생각에서 비롯된
다는 사실을 깨달은 지 1년도 채 안 된 시기였다. 살면서
처음으로 망가진 기분이 들지 않았다. 내 마음이 평화롭지

못하게 막는 것은 오로지 **'생각 하나'** 뿐이었다. 하지만 그 생각 하나를 통제하지 않아도 된다는 것을 알자, 생각은 스스로 가라앉았고 마음은 자연스레 조용하고 평화로운 곳으로 되돌아갔다.

그래서 한 멘토가 세 가지 원리에 더 깊은 층위의 이해가 있다고 말해줬을 때 어리둥절했다. 마침내 내가 '고쳐진' 것으로 끝인 줄 알았는데, 더 나아갈 무언가가 있다는 것이 상상이 안 됐기 때문이다.

그러나 세 가지 원리에 대한 공부를 한동안 쉬고 나자, 내가 이미 경험한 삶의 만족 그 이상의 깊이가 있다는 생각에 이끌렸고, 그렇게 다시 그 대화로 돌아갔다.

이번엔 정확히 무엇을 찾아야 하는지 몰랐기 때문에, 그 어떤 의도도 없이 그냥 힘을 빼고 읽고 보고 들었다. 보다 편안하고 가벼운 마음으로 있으니, 처음에 놓친 것들이 보이고 들렸다.

놀랍게도, 내가 지금껏 설명한 그 깊은 감정의 세계에서 더 많은 시간을 보내기 시작했다. 이 내면의 관조적 공간은 동양 철학에서 '무조건적인 마음'이라 불리는 것과 똑

닮아있었다. 저절로 '기적이 일어나는 공간'이라 묘사하게
되는 그곳에서 새로운 연결성과 통찰을 경험하기 시작했
다.

내가 그 공간에서 더 많은 시간을 보낼수록, 나의 가족,
친구, 주변 사람들도 함께 깊은 감정의 공간에서 시간을 보
내는 듯 보였다. 마치 그 공간 자체가 중력장을 가져 사람
들 모두를 끌어들이는 것처럼 느껴졌다. 하지만 사람들이
내가 느낀 '더 깊은 차원'의 변화를 설명해달라고 하면 난감
했다. '그냥' 조용한 것과 평화, 명료함, 안락함과 같은 깊은
감정을 구별하기가 어려웠기 때문이다.

수년간 이어진 탐구 끝에, 삶의 질을 높이고 세상을 더
잘 살아가기 위해, 꼭 마음을 고요하게 만들 필요가 없다는
걸 깨달았다. 그보다는 그 고요 속 공간에서 무엇이 드러나
는지가 더 중요했다.

이렇게 말하면 어떨까.

생각의 부재와 **마음**의 존재를 경험하는 것은 다르다.

마음이 조용할 때 느껴지는 안도감을 넘어, 보다 신성한 **마음** 그 안에 머무르고 있을 때면 집에 돌아온 기분이 들었다. 세상은 그대로 완벽하게 느껴졌고, 모든 인간에 대한 사랑과 신념 또한 커졌다. 혼돈 가운데서도 평화를 경험하며 삶의 풍요로움을 껴안을 수 있었다. '그저 행복해지기만을 원하던' 어린 날의 나는 절대 상상하지 못한 모습이었다.

최선을 다해 설명하자면, 평화의 감정은 인간에게 주어진 기본 권리와도 같다. 이를 위해 우리가 해야 할 일은 그 방향을 바라보는 것뿐이다.

평화의 깊은 감각이 무엇이고, 그것이 어디서 오는지 이해하기 위해 사람들이 보통 '마음의 평화'라는 표현을 쓸 때 일반적으로 의미하는 네 가지를 살펴보자.

1. 충돌의 부재

아무도 내게 화를 내지 않으면, 마음의 평화를 얻겠지.

표면적으로 마음의 평화는 충돌의 부재로 보인다. 그러니 평화를 경험하고 싶다면 충돌을 아예 피하거나 충돌을 다루는 것에 능숙해져야 한다.

충돌의 부재를 마음의 평화와 동등하게 여기는 사람들은 스스로를 '평화주의자'라고 생각할지도 모르지만, 사실 그들은 '충돌 도망자'이다(제2차 세계 대전 전의 네빌 체임벌린이나, 조용한 삶을 위해 오랜 시간 동안 배우자의 폭력을 견디는 사람들을 생각해 보자).

문제를 피하기에만 급급한 회유적 태도는 충돌을 피하기보다 더 많은 충돌을 만들고, 오히려 머릿속을 하지 말아야 하는 말이나 행동에 대한 생각으로 가득 차게 만들어 마음의 평화를 경험할 기회마저 빼앗아 간다.

결국 어느 시점에 들어서면 사람들은 충돌의 부재보다 더 중요한 것이 있다고 깨닫게 되는데…

2. 상황이 안정되면

일 · 결혼 · 건강 · 돈 문제만 안정되면, 마음의 평화를 얻을 수 있어.

'충돌의 부재'를 마음의 평화로 여기는 사람들은 원하지 않는 일을 피하는 반면, '상황의 안정'을 마음의 평화로 여기는 사람들은 편안함과 만족감을 느끼기 위해 필요하다고 생각되는 삶의 환경들을 만들고 유지하려고 노력한다.

그들은 아마 자신을 원하는 바를 얻어내는 '진취적' 사람이라 생각하겠지만, 실은 끝없는 긴장 속에서 외줄을 타는 사람에 더 가까울 것이다(장을 보고, 아침을 준비하고, 아이들 성적을 철저하게 관리해 상위권 대학에 조기 입학을 시키는 동시에, 남편의 기도 살려주는 '슈퍼맘'을 생각해 보자).

마음의 평화가 바깥 상황에서 비롯된다고 믿는다면, 삶의 모든 부분이 완벽할 순 없기에, 사실상 마음의 평화는 불가능하다. 그뿐만 아니라 삶 자체의 순리와 부딪히며 자신의 뜻대로 세상을 통제하려다 마음의 평화는커녕 스트레스만 커진다.

그렇게 상황의 안정보다 더 중요한 것이 있다고 깨닫게 되는데…

3. 생각의 부재

생각이 너무 많지만 않으면, 마음의 평화가 생길 거야.

외부 환경을 통제해 마음의 평화를 얻으려는 전략에서 생각을 조용히 만드는 전략으로 바꾸면 전보다는 삶이 쉬워진다. 머릿속에 너무 많은 생각이 있지만 않으면, 밖에서 벌어지는 갈등과 변화를 더욱 쉽게 제어할 수 있기 때문이다.

보통 널리 알려진 명상가들이 이러한 방식으로 마음의 평화를 얻는다. 꾸준히 수련하는 명상가들은, 명상을 하지 않는 이들보다는 건강하고 창조적인 삶을 살아간다고 할 수 있을 것이다(사회적으로 크게 성공한 루퍼트 머독, 데이비드 린치, 오프라 윈프리 또한 명상가로 잘 알려져 있다).

그러나 완전한 생각의 부재는 순발력 같은 정신적 능력 또한 무디게 만들기도 한다. 명상을 하지 않는 나머지 23시간 동안 마음의 평화를 유지하려 애를 쓰다가 결국 명상은 억지로 끝내야 하는 숙제가 되어버리기도 한다.

의무감이 아니라 진정으로 명상 자체를 사랑하게 된 사

람들은 분명 다음과 같은 경험을 했을 것이다.

4. 마음의 평화

*평화는 **마음**의 본질이야.*

마음은 형태를 갖추기 이전의 에너지이자 삶 뒤편을 흐르는 지성으로 우리의 세계에 생명력을 불어넣는다. 언제 어디에나 존재하는 **마음**은 우리가 살아있음을 느끼게 하며, 우리의 머릿속이나 바깥세상에서 일어나는 일과 상관없이 삶은 언제나 괜찮다는 앎을 전해준다.

마음의 평화가 항상 곁에 존재함을 아는 사람은 자신의 상태나 주변에서 일어나는 일에 상관없이 명상의 상태에 들어가고, 깊은 감사 또는 사랑을 느낄 수 있다(예수나 부처, 또는 현대의 신비가 시드니 뱅크스, 달라이 라마, 바이런 케이티, 에크하르트 톨레를 떠올려 보자).

우리는 생각이 만든 세상에 살아가고, 우리 자신 또한 형태 없는 에너지라는 것을 이해하면 **마음**의 평화를 위해 애쓰는 노력은 이상해 보이기 시작한다. 마치 물고기가 물을 경험하는 방법을 찾아다니는 것처럼 말이다. **마음**의 평화가 언제나 존재함을 알아차리면, 우리의 의식은 점점 더 평화로 가득 차오른다.

간단히 말해, **마음**의 평화야말로 우리의 진정한 본연이다. 평화는 우리 존재의 핵심이기 때문에 절대 잃을 수 없다. 아시시의 성 프란치스코가 말했다고 전해진 대로, '당신은 당신이 찾아 헤매는 그것, 그 자체'이다.

그 누가 당신에게 실망하건, 그들이 어떤 것 때문에 실망하건, 그것에 대해 당신이 어떻게 생각하건 상관없이 **마음**의 평화는 항상 우리 곁을 지킨다.

자연적 고양감의 원천

마음의 평화가 언제나 가능하다는 사실을 깨닫자, 내 뇌 속의 목표를 좇는 영역이 더 많은 평화를 경험하기 위해 활성화됐다.

그렇게 스스로에게 묻기 시작했다. '**마음**의 평화를 얻기 위해 어떤 방식으로 접근해야 좋을까? 평화의 감정 자체를 키워 나가는 데에 집중해야 할까? 아니면 **마음**을 더 깊게 이해하는 편이 나을까?'

물론 그때도 이런 생각이 잘못된 이분법임을 알았다. 얼굴과 몸 중에 하나를 선택하라고 스스로에게 강요하는 것과 같달까. 하지만 그 물음 자체는 흥미롭게 느껴졌기에, 조금 더 탐구해 보기로 했다.

첫 번째로 깨달은 것은, 내가 무려 30년 동안 같은 질문을 조금씩 변형하며 물어왔다는 것이다. 그 시작은 부모님의 주방 냉장고 문을 닫을 때 불어온 바람에서 느낀 잊지 못할 사랑스러운 평화의 감정이었다.

모든 종류의 냉장고 문을 열고 닫으며(농담이라면 좋겠지만) 같은 감정을 다시 느끼려 했지만 모든 시도가 실패했다. 그래서 평화가 어디서 찾아오는지 그리고 어떻게 하면 더 오래 경험할 수 있을지를 알아내기 위해 영적 탐험으로 눈을 돌렸다. 영적 탐험은 나를 선불교와 다양한 동양 철학, 영적 치료, 형이상학, NLP와 긍정심리학으로 안내했다.

각각의 여정에서 나는 늘 두 갈래의 길을 마주했다. 하나는 평화의 감정을 직접적으로 얻는 법을 훈련하는 것이었고, 다른 하나는 그 마법 같은 평화의 순간이 갑자기 나를 내쳐도 깊은 이해가 나를 지탱해 줄 수 있도록 삶의 작동 방식에 대한 근본적 이해를 하는 것이었다.

이러한 딜레마는 시드니 뱅크스가 남긴 작업물에도 생생히 보인다. 그는 초기의 많은 책과 녹음에서 더욱 충만한 삶을 위한 수단이자 목표 그 자체로 '아름다운 감정'에 머물며 살아가는 것을 중요하게 여겼다. 하지만 후기의 작업으로 갈수록 신성한 삶으로 이끄는 **마음 - 의식 - 생각**의 이해를 더 강조했다. 조금 더 지적으로 들리는 후자의 방식이 '설명할 수 없으면 존재하지도 않는다'는 나의 과학적 사고 방식에는 더 부합하는 듯했다.

어떤 길을 따라야 하는 걸까? 같은 길을 먼저 걸어온 스승들도 결정할 수 없었던 것을, 내가 어떻게 할 수 있을까.

완전히 미쳐버리기 전에 시끄러운 머리를 붙들고 해변으로 나왔다. 나의 주의를 파도에 맡기고, 생각들은 어디로든 흘러가게 두었다. 늘 그렇듯이, 그 순간 완전히 새롭고 깨끗한 생각 하나가 들어오는데…

행성의 자전과 공전, 물가에 모인 야생동물들이 물을 마시는 순서, 그리고 모든 살아 숨 쉬는 것들의 심장박동. 그 모든 것 뒤로 범우주적 **마음**이 흐르고 있다면, 내일 저녁으로 무엇을 먹을지는 내가 결정하는 일이 아닐 것이다. 우주의 신비를 알 아내는 일도 마찬가지다. 만약 내가 알아야 하는 것이라면, 때가 되어 알게 될 것이다. 내가 알아야 하는 것이 아니라면, 모른 채로 살아가겠지.

그 후, 삶에서 늘 일어나는 쉽지 않은 일 속에서도 더 깊은 수준의 평화를 찾을 수 있었다. 그 충만함은 과거보다 더 안정되었다. 잠시 머물렀다 금세 떠나는 것이 아닌, 삶의 중심으로 자리 잡아 언제나 함께하는 동반자가 되었다.

여기에는 한 가지 중요한 차이가 있다. 과거에는 그런 평화로운 순간을 신의 은총이라고 여겼다. 보다 영적인 마음 상태에 있을 때는 신의 선물이라고 느껴졌고, 그렇지 않을 때는 우연한 행운이라고 느껴졌다. 평화의 감정과 함께하는 모든 순간을 감사하게 여겼지만 내가 관여하는 일은 아니라고 생각했다. 나는 그저 평화가 찾아올 때만 이를 경험할 뿐이었으니까.

이제 그 평화는 내 안에서 비롯된다는 것을 안다. 깊은 마음이 매 순간 곁에 자리하며 나를 지켜준다는 것을 이해하자 평화는 자연스레 드러났다. 두려움과 불안의 감정은 내가 그 진실을 잊고 삶을 나만의 힘으로 다루겠다는 생각에 빠질 때만 찾아왔다.

마음의 평화는 제멋대로 오고 가지 않았다. 우리가 깊은 마음을 이해하는지에 따라 드러나고 감춰졌다. 우리를 평화로부터 가로막는 건 오직 불확실한 세계로 가장한 한시적 '생각'임을 알면, 우리가 삶의 지성 그 자체이자 에너지라는 진실이 드러난다.

아마 이런 모습과 비슷하지 않을까?

—

　아름다운 호수의 30m 위에 떠서 산다고 상상해 보자. 대부분의 시간은 호수의 존재를 잊고 지내지만, 어쩌다 내려볼 때면 물의 순수함, 깊이감, 고요함에 압도된다. 아주 가끔 실수로 호수에 빠져 젖을 때면, 마치 사랑과 평화의 바다에 빠진 것처럼 개운한 느낌을 느낀다.

　그렇게 더 자주 호수로 향하고 싶은 생각이 든다. 거의 느끼지 못할 정도로 조금씩 내려가 가까워지고 또 가까워진다. 가까이 다가갈수록 더 자주 빠지게 된다. 가끔은 발만 적시고, 어떨 땐 흠뻑 젖는다. 호수에 빠지는 것이 익숙해져도 상쾌한 느낌만큼은 변하지 않는다. 곧 필요할 때마다, 자신을 식히고 정화하고 싶을 때마다 호수에 들어갈 수 있게 된다.

　그러다 어느 날 호수에 자연적인 부력이 있어 표면에 떠 있을 수 있다는 걸 알게 된다. 가끔은 미끄러져 깊숙이 들어가고, 가끔은 표면에서 멀리 떨어져 있다. 하지만 대부분의 시간은 물 위에 누워 하루의 아름다움을 즐긴다.

—

평화 속에서 쉬세요

오랫동안 이메일의 끝맺음에 '진심을 담아sincerely'라고 쓰는 대신 '사랑을 담아love'라고 썼다. 이것은 사실 의도적인 실험이었는데, 가끔 사람들은 부정적인 (그리고 한 번은 명백하게 적대적인) 반응을 보이곤 했다. 아마도 그들은 사랑을 한정적인 자원으로 여기며, 필요한 때를 대비해 아껴야 한다고 생각했기 때문일 것이다.

당연한 소리로 들릴지도 모르지만, 사랑은 나누면 나눌수록 더 많이 생겨나는 재생 가능한 자원이라는 것을 깨달은 후로는 더 이상 사랑을 나누는데 망설이지 않았다. 그러다 최근 누군가에게 '평화 속에서 쉬세요'(Rest in peace - 문자 그대로의 의미가 아닌, '삼가 고인의 명복을 빕니다'와 같은 애도의 표현으로 사용되는 관용구 _ 옮긴이)라는 말로 끝맺은 이메일을 받고는, 화를 내는 자신을 발견했다. '암시적인 위협인가? 혹시 내 건강 상태를 눈치채고 완곡하게 알리는 건가?'

말이 내포한 의미를 의심하다 내가 살면서 처음으로 들은 농담이 떠올랐다.

늦은 저녁, 군목사가 할 말이 있다며 대위를 찾아왔다. 그가 마을에 내려갔다가, 병사 젠킨슨의 젊은 아내가 다른 남자와 키스하고 껴안는 모습을 보았다는 것이다. 목사는 그 소식을 직접 전하고 싶진 않았지만, 숨기고 싶지도 않다고 말했다. 대위는 그에게 걱정하지 말라며 알아서 처리하겠다고 답했다.

다음 날 아침 집합 시간, 모두가 모인 자리에서 대위는 행복한 결혼 생활을 하는 사람들은 한 보폭 앞으로 나오라 명령했다. 젠킨스를 포함한 몇몇이 움직이자, 그가 소리쳤다. "넌 뒤로 빠져있어! 젠킨스"

—

감정이 가라앉자,ʹ '평화 속에서 쉬세요'라는 문장이 장례와 관련된 표현이라는 것만 빼면, 모든 이가 바랄만한 아름다운 표현이라는 생각이 들었다. 하지만 우리의 감정이 바깥 환경에 휘둘리는, 밖에서 안으로 향하는 상태에서는 정말로 죽어서야만 '평화 속에서 쉴 수' 있을 것처럼 느껴지기도 한다.

만약 우리가 살아 숨 쉬는 동안에도 편히 쉴 수 있다면 어떨까?

우리는 세상을 느끼는 것이 아니라 자신의 생각을 느낀다. 평화는 우리 본연의 상태로 우리가 태어나는 공간이고, 생각의 테두리만 넘으면 바로 닿을 수 있는 곳이다. 그러니 우리가 편히 쉴 수 있는지는 삶이 얼마나 바쁜지, 바깥 상황이 얼마나 버거운지와 연관이 없다. 바쁘게 돌아가는 마음 가운데서도 기꺼이 멈추어 현재 순간의 아름다움으로 돌아갈 의향이 있는가에 대한 문제다.

더 나아가 평화는 단순히 아름다운 감정이 아니라 모든 것이 가능한 공간이다. 평화는 내면의 지혜와 우주의 신비로 안내하는 문이다. 우리가 평화 속에서 편히 쉴 때 몸은 회복하고, 생각은 활기를 되찾으며, 개인적 마음은 보다 큰 범우주적 마음과 조화를 이룬다.

누군가 죽었을 때 조의를 표하기 위해 '평화 속에서 쉬세요'라는 표현을 쓰는 이유는 생이 다하면 우리의 자아가 본래의 범우주적 **마음**으로 되돌아간다는 것을 직관적으로 알기 때문이 아닐까?

　물론 죽었을 때 실제로 무슨 일이 일어나는지는 아무도 모른다. 나도 그저 임사 체험을 한 사람들의 흥미로운 이야기들을 들었을 뿐이다. 하지만 우리가 생생히 살아있는 동안에도 평화 속에서 쉴 수 있다는 건 안다. 이는 그 자체로 매우 가치 있는 동시에 삶을 가장 효율적으로 살아가는 방식이기도 하다.

5

쉬운 변화의 비밀

○

변화는 지극히 자연스럽게 필연적으로 일어난다
하지만 그 변화를 가로막는 것은 우리 자신이다

역공학의 한계

돈으로 멋진 개를 살 순 있지만,
그 개의 꼬리를 흔들게 하는 것은 오직 사랑뿐이다.
– 킨키 프리드먼

'역공학reverse engineering'이란 복제나 보완을 목적으로 어떤 것을 해체해 작동 방식을 이해하는 과정을 뜻하는 용어다. 원래는 제조업이나 컴퓨터 분야에서 사용되었지만, 최근에는 많은 심리학 분야에서 성공한 사람들의 특성, 태도 및 인지 능력을 '역공학' 해 모두에게 접근 가능한 것으로 만들기 위해 자주 쓰인다.

역공학 방식은 가끔 특정 분야에 탁월한 성과를 보이기도 하지만 역공학을 적용한 '변화의 비밀' 대부분은 물리학자 리처드 파인먼Richard Feynman이 '화물숭배 과학'Cargo Cult

Science이라고 부른 것과 똑같이 닮았다.

　캘리포니아 공과대학교에서 졸업생 대상 강의를 하던 파인먼이 말했다.

"남태평양에는 화물숭배 문화라는 것이 있습니다. 제2차 세계 대전 동안 좋은 보급품을 잔뜩 실은 비행기가 착륙하는 것을 본 원주민들이 자신들에게도 똑같은 일이 일어나길 원했습니다. 그래서 그들은 활주로를 만들기로 합니다. 활주로 양옆에 불을 놓아 항공 등화를 세우고, 관제사 역할을 할 사람이 앉을 막사를 만들고, 그 사람의 머리에는 헤드폰처럼 생긴 나무 조각 두 개를 붙이고 대나무 막대를 안테나처럼 꽂았습니다. 그리고 비행기가 내려오기를 기다렸습니다.

그들은 보이는 모든 것을 똑같이 따라 했습니다. 활주로를 완벽히 구현했습니다. 하지만 아무 일도 일어나지 않았습니다. 비행기는 착륙하지 않았습니다. 저는 이것을 화물숭배 과학이라고 부릅니다. 그들은 분명 과학적 조사를 바탕으로 보이는 모든 원칙과 형식을 따랐지만, 필수적인 핵심은 놓

친 것이죠. 비행기가 나타나지 않았으니까요"

—

경력 초반에 나는 여러 기술을 개발한 뒤 그것에 '행동적 항우울제'라는 다소 유머러스한 이름을 붙였다. 그 기술들을 꾸준히 실천할 때, 나와 클라이언트들의 우울증을 예방하고, 지나치게 극단적인 부정적 감정을 막아주는 것으로 보였기 때문이다.

그러나 문제가 있었다. 그 기술들이 가장 필요한 순간에는 정작 그것들을 사용할 여력이 없는 상태였다는 점이다. 동기부여를 위한 또 다른 추가적 기술이 필요했다. 이마저도 먹히지 않으면 다시 새로운 방법을 찾거나 개발했다.

지금 와서 생각해 보니, 이는 마치 비행기가 나타나지 않자 나무 대신 코코넛 껍질로 헤드폰을 만들라는 화물숭배 주술사의 처방과 같았다. 비행기가 어디서 날아오는지를 이해하지 못한 상황에서, 이 처방은 꽤 합리적인 해결책으로 보인다. 하지만 실제 화물이 어디서 오는지를 깨닫는 순간, 본질을 놓치고 있었음을 알게 된다.

마법이 일어나지 않는 이상, 관제탑을 따라 한 오두막에 앉아 있는다고 해서 화물로 가득 찬 비행기가 작은 섬에 내릴 리가 없다. 마찬가지로 누군가의 삶을 바꾼 그 행동을 그대로 따라 한다고 자기 삶이 바뀌진 않는다. 잠시 기분을 환기하고 반복적인 생각과 행동으로부터 주의를 분산시키는 정도일 것이다.

그렇다면 변화는 어떻게 일어나는가?

내 경험상, 사람들이 자신에게 일어났던 자연스러운 변화를 깊게 들여다볼수록 그러한 순간이 더 자주 찾아오는 것 같다. 당시에 했던 생각과 행동이 아닌 변화가 일어난 공간을 바라보게 된다면, 변화는 흐린 날 먹구름 사이로 새어 나오는 햇빛처럼 아무것도 없는 빈 공간에서 나타나 우리에게 스며든다는 사실을 알게 된다.

힘들이지 않고 변화를 일으키는 법

유럽 출신의 사업가 프랭크(가명)가 고객 유치 기술을 향상하기 위해 나를 찾아왔다. 첫 세션에서 우리는 머릿속에서 끊임없이 떠들며 우리의 주의를 빼앗고 심지어 이를 믿고 반응하도록 만드는 생각의 허상적 본질에 관해 이야기를 나눴다.

그날 이후 나는 휴가를 떠나 거의 3주 동안 프랭크와 대화하지 못했다. 그런데 우리가 다시 만난 날, 그는 내게 20년이 넘도록 고치지 못했던 자신의 손톱 물어뜯는 버릇을 어떻게 고쳐냈냐고 물었다.

나는 기억이 나지 않아 지난 세션 기록 노트를 살폈다. 우리는 그의 손톱 물어뜯는 버릇에 대해 이야기 나눈 적이 없었고, 심지어 나는 그가 그것을 문제 삼고 있는지도 몰랐다. 하지만 나는 특별한 노력 없이도 평생 습관이 한번에 사라질 수 있다는 사실은 알고 있었다.

그에게 설명한 내용이다.

–

굶주린 용이 돌아다니는 세상이 있다. 용으로부터 자신을 보호하기 위해 첫 번째로 해야 할 일은 성을 쌓는 것이다. 그러나 어떤 재료로 성을 쌓는 게 좋을까?

어떤 사람들은 *돈으로 성벽을 쌓으려고 한다. 그들은 말한다. "만약 충분한 돈이 있다면, 용은 나에게 다가올 수 없고 나는 안전할 거야" 그들은 돈을 써야 할 때면 공포에 빠질 정도로 최대한 많은 돈을 벌기 위해 필사적으로 노력한다. 충분한 양의 돈을 쌓는다면 용이 성벽을 넘지 못할 거라고 확신한다.

또 다른 사람들은 자신의 성벽을 *인정, 칭찬, 유명세로 쌓으려 한다. 그들은 말한다. "만약 사람들이 나를 충분히 사랑해 주고 존경한다면, 용은 나에게 다가올 수 없고 나는 안전할 거야" 새로 얻은 찬사는 성벽의 돌이 되고, 그들의 명성에 나는 흠집은 성벽에 나는 흠집이 된다.

*섹스나 관계로 성벽을 쌓으려는 사람들도 있다. (나를 진짜로 사랑해 주는 단 한 사람만 찾는다면…) 또는 *건강한 삶으로 (좋은 음식만 먹고 바른 행동만 한다면…) 또는 *권

력과 지위를 추구하며 (정상에 오를 때까지 투쟁한다면…) 자신을 안전히 지키기 위한 성벽을 쌓는 사람들이 있다.

그러나 성벽을 쌓고 지키는 일에 모두가 성공하는 것은 아니다. 심지어 성공한 사람조차 용에게 물리곤 한다. 혹시 용에게 물린 적이 없다면… 그냥 매우 아프다고만 해두자.

어린이들이 잘 아는 바와 같이, 용은 어느 모퉁이에도 숨어 있을 수 있고, 친구인 척하며 다가오는 이상한 사람의 속임수 뒤에 숨어 있을 수도 있다. 그렇기에 사람들은 용으로부터 스스로를 지켜야 한다는 지속적 불안과 고통을 줄이기 위해 술을 마시거나 담배를 피고, 폭식을 하거나 도박을 하기도 하며, 때로는 손톱을 물어뜯는다.

하지만 어느 날 의심의 그림자가 걷히고, 용이 없다는 사실을 깨닫는다면 어떨까? 용의 그림자가 그저 당신의 생각이었다는 것을 알게 된다면 어떨까?

정말로 용이 존재하지 않는다는 사실을 이해하면, 그 모든 불안과 스트레스는 곧바로 사라진다. 용을 피하려는 소란스러운 행동도 그 순간 끝난다. 더는 손톱을 물어뜯을 이유가 (또는 인정을 바라거나 음식, 돈, 약물을 과하게 소비해야 할 필요가) 없다. 불안의 근원이 더 이상 존재하지 않는다면 그저 긴장을 내려놓고 삶을 즐길 수 있게 된다.

물론 모든 상황이 늘 우리가 원하는 대로 흘러가지는 않을 것이다. 때때로 용처럼 보이는 것을 발견하거나 용에게 물린 듯한 아픔을 느낄 수도 있다. 그러나 여기에 지나치게 휘말리기 전에 우리가 정말로 두려워하는 게 무엇인가를 떠올릴 수 있다. 우리는 결코 우리가 무섭다고 생각하는 '그것'을 두려워하는 게 아니다. 그것이 무섭다는 '생각' 그 자체를 두려워한다. 이러한 이해가 찾아오는 순간 다시 건강하고 편안한 본연의 상태로 돌아가게 된다.

—

프랭크는 더 이상 손톱을 뜯지 않을 뿐만 아니라 몇 년 만에 처음으로 자기 일과 삶을 진정으로 즐기고 있다고 말했다.

여기, 겉으로는 자신의 노력으로 바꾼 것처럼 보일지도 모르지만, 실은 힘들이지 않고도 자연스럽게 일어나는 변화를 설명하는 또 다른 은유가 있다.

–

얼어붙은 강이 있다. 매우 두껍게 얼었지만, 여전히 그 아래에는 강물이 흐른다. 이제 당신의 일은 그 얼음을 깨고 강을 '자유롭게' 만들어 모든 사람들이 다시 강을 보고 즐길 수 있게 하는 것이다.

당신은 매일 강으로 내려가서 얼음을 깎아내기 시작한다. 어떤 날에는 한두 군데에 구멍을 뚫고, 또 가끔은 어떤 '돌파구'도 찾지 못하지만, 계속해서 깎아내며 얼음을 약하게 만든다.

이 작업이 답답하고 어렵게 보일 수 있다. 특히 강이 오랜 시간 동안 얼어있어 두께가 두꺼운 경우 더 그렇다. 그러나 당신에게는 숨겨진 협력자가 있다. 바로 강 자체이다.

계속해서 얼음을 뚫다 보면 어느 순간, 큰 얼음덩어리가 떨어져 나가며 강이 그 모습을 드러내기 시작한다. 얼음이 어느 정도 부서지면, 그 뒤론 강 자체가 나머지 일을 맡는다. 그렇게 강은 따뜻한 온도와 지속적인 흐름으로 남은 얼음을 하류로 흘려보내고 얼음은 본래 모습인 물로 돌아가게 된다.

–

더 이상 설명이 필요하지 않은 명백한 사실이지만, 우리 모두에겐 깊은 지혜와 평안의 강이 흐른다. 그 강은 살다 보면 때때로 얼어붙곤 한다. 그럴 때마다 우리는 강물에 몸을 맡기고 흐름을 따라 유영하는 대신, 불안정한 '정신의 살얼음판' 위에서 위태롭게 나아간다.

삶의 변화를 돕는 나와 같은 사람들은 그 얼음을 조금씩 깨부수는 일을 한다. 오랫동안 자리 잡은 믿음과 단단히 굳은 생각들을 조금씩 깨부수다 보면, 점차 내면의 건강과 지혜가 표면 위로 드러나며 다시 강이 흐르기 시작한다.

우리의 작업에는 분명히 예술적인 요소도 있지만 블루칼라적인 면이 더 짙다. 매일 제시간에 출근을 한다. 강이 보이길 바라며 그날의 얼음을 깨부순다. 강물이 어느 지점에서 얼음을 뚫고 나와 다시 클라이언트의 마음으로 흐를지 정확히 모르는 채로 마감한다.

우리는 **마음**의 원리가 자연의 섭리와 마찬가지로 변하지 않는다는 완전한 확신 하나로 계속 일을 해나간다. 얼음을 계속 깨다 보면(때로는 그렇게 하지 않아도), 어느 순간 지혜와 평안의 강물이 표면으로 올라와 사람들의 마음을 다시 자유롭게 흐른다.

6

새로운 시작

○

우리는 과거로부터 쌓인 삶이 아닌
새롭게 펼쳐지는 삶을 살아간다

순수한 가능성의 세상

나는 가능성의 세상에 살아요.
- 에밀리 디킨슨

만약 삶에 정해진 것은 아무것도 없고, 모든 것을 자유롭게 선택할 수 있다면 어떨까?

오래전, 본인이 일찍 죽을지도 모른다는 걱정으로 직장 생활까지 지장을 받는 클라이언트를 만났다. 그는 죽음에 대한 강박적 생각으로 어떤 결정도 내리지 못하며 일의 마무리를 짓지 못하는 상황까지 이르렀다.

그 당시는 '내면으로부터의 이해'를 나의 코칭에서 중요하게 다룬 지 얼마 안 된 터라, 그의 바깥 상황을 먼저 살폈다. 나는 그가 받은 모든 건강검진을 확인했으며(그는 그의 나이대에 비해서 건강한 편이었다), 유언과 생명보험 등 사

124

후에 걱정되는 모든 것들을 그와 함께 정리했다.

하지만 아무것도 그의 걱정에 실질적인 변화를 주지 못하자, 나 스스로가 생각하기에도 다소 무성의한 조언을 건네고 말았다. "죽음에 대해 생각하지 않을 때에는 기분이 괜찮다면, 죽음에 대해 생각하지 마세요."

하지만 우습게도, 그 말이 예상보다 훨씬 도움이 됐다. 그는 머릿속이 비워지자 긍정적으로 바뀌기 시작했고, 상황이 훨씬 나아졌다.

얼마 후 나의 멘토였던 샌디 크롯에게 같은 상황에서 어떤 말이나 행동을 했을 거냐고 물었다.

"나는 그에게 말했을 거야 '**그것에 대해 생각할 필요 없어요**'" 그녀가 말했다.

나는 그녀의 말을 충실히 노트에 옮겨 적었지만, 내가 한 말과 다를 바 없는 뻔한 말을 들은 것에 실망스러웠다.

다시 그녀를 만났을 때, 나는 그 문제를 또 꺼냈다. 나는 클라이언트를 실질적으로 돕기 위해서는 문제에 대해 생각하지 말라는 말 대신(우연히 그 말이 통했다 하더라도) 다른 나은 말이나 행동이 있어야 한다고 주장했다.

샌디는 혼란스러운 표정을 지었다. "마이클, 내가 뭐라고 했다고 생각해?" 그녀가 물었다.

"내가 노트에 받아 적었어요" 내가 대답했다. "당신이 '**그것에 대해 생각할 필요 없어요**You don't have to think about that'라 말할 거라고 했잖아요."

그녀가 웃었다. "마이클, 난 그렇게 말하지 않았어. '**그렇게 생각할 필요 없어요**You don't have to think that'라고 한다고 말했지"

그 한 문장이 나의 세상을 뒤흔들었다. '현실'이 생각으로 만들어진다는 개념에는 익숙했지만, 삶을 경험하는 방식이 얼마나 유연하게 바뀔 수 있는지는 처음으로 깨달았다. 그 어떤 것에 대해서든 **지금까지 해오던 대로 생각할 필요가 없다**는 것을 알면, 완전히 새로운 세상을 창조할 자유를 얻는 것이었다.

굳건히 고정되어 있던 관념들이 어느새 느슨해지며 내 현실을 구성하는 틀 또한 녹아내리기 시작했다.

- 나는 정말 소심한 사람인가?

- 삶의 고난은 무조건 스트레스일까?
- 죽음은 정말 나쁜 일인가?

강렬한 깨달음으로 몇 시간이나 고요 속에 앉아 있었다. 삶이라고 믿던 굳은 '사실'들은 이제 흘러가는 '생각'이 되었고, 그 생각으로 만들어진 현실이 품는 가능성은 나를 두려움과 놀라움에 빠뜨렸다.

마음이 안정을 찾자, 끝없이 흐르는 상태의 세상에서 변함없이 의지할 수 있는 '세 가지 원리'의 가치가 새삼 느껴졌다.

마음이라는 존재 – 끊임없이 펼쳐지는 삶 속에서 우리를 이끌어 주고 변화하게 만드는 에너지이자 지성

의식이라는 사실 – 나의 생각에 숨을 불어넣어 나의 현실을 경험하게 해주는 능력

생각이라는 선물 – 매 날, 매 순간 삶을 창조하고 또다시 새롭게 창조하기 위해 사용하는 신성한 '찰흙'

그 순간, 우리가 고통받는 이유는 모두 **생각**의 찰흙을 잘못 사용하기 때문이라는 것을 깨달았다. 불안, 걱정, 고통을 만들기 위해 찰흙을 쓰는 것은 스스로가 만든 새장에 갇혀 사는 것과 같다. 하지만 우리에게는 언제나, 무엇에 관해서든 다르게 생각하고 바꿀 수 있는 자유가 있다. 매 순간 즐겁게 찰흙을 만지작거리며 동물, 사람, 괴물, 꽃을 만들고 다시 부수는 아이들처럼 말이다.

물론 나도 그 사실을 항상 기억하진 못한다. 때론 나의 현실이 '진짜' 현실처럼 보이며 내가 만든 새장 속에 갇힌 기분이 들기도 한다. 그러나 곧 새로운 생각이 찾아와 다시 이 모든 것을 기억해 내면, 스스로 만든 새장의 문을 열고 밖으로 나와, 다시 생각이라는 찰흙 덩어리로 새롭게 창조의 놀이를 시작할 수 있다.

빈 종이의 힘

최근 세미나에서 이러한 생각을 설명하기 위해 큰 스케치북에 다음처럼 그림을 그렸다.

만약 그림이 못마땅하다면 이렇게 고칠 수 있을 것이다.

그러나 여전히 마음에 들지 않는다면 어떻게 할까?

아마 뭔가를 더 그려 넣을 것이다.

어느 순간, 한계점에 도달한다. 그림을 고치려 하면 할수록 처음보다 더 엉망이 되어버린다.

어떻게 해결해야 할까?

우선, 페이지를 넘겨보자.

어떤 순간에도 우리는 과거의 페이지를 넘기고 새롭게 시작할 수 있다. 아무 일도 일어나지 않은 것처럼 앞으로 나아갈 수 있다. 모든 것을 새롭게 만들며 앞으로 나아갈 수 있다.

슬플수록 현명해진다는 거짓말

한때, 나는 용서란 원한을 놓아버리는 행위라고 생각했었다. 정말 좋은 생각이지 않은가? 그래서 원한을 품고 있는 것은 자기가 독약을 마시고서는 다른 사람이 죽기를 바라는 것과 같다는 말을 사람들에게 자주 하고 다녔다. 다만, 문제는 그걸 아는 게 내게 아무 도움도 안 됐다는 것이었지만. 물론 엄청난 원한의 감정은 없었지만, 미래에 비슷한 상황을 겪게 될 것에 대비하여 어느 정도 원한의 감정을 계속 품고 있는 것이 맞는 것 같았다.

그러다 용서에 관해 더 흥미로운 말을 들었다. 용서에는 이미 상대방이 잘못했다는 판단이 담겨있기에, 상대방보다 내가 더 잘났다는 생각이 깔린 자기충족적 허상에 가깝다는 이야기였다. 그러니 용서를 하려면 두 번이나 재수 없는 사람이 돼야 했다. 일단 먼저 비난하기. 그다음, 거만하게 굴기.

내가 용서에 집착한 유일한 이유는 '너의 모든 죄는 용서 받았다'는 문장이 주는 엄청난 위안 때문이었다. 용서가 어떻게 가능한지는 몰라도, 그 개념만큼은 정말 좋아했다.

그러던 어느 날, 나의 멘토 조지 프랜스키와 이야기를 하던 중 그가 나에게 말했다. "글쎄, 진정한 용서란 그 일이 일어나기 전과 같은 방식으로 그 사람을 느낀다는 뜻 아닐까?"

여태껏, 그게 가능하리라 생각해 본 적이 없었다. 지금까지 나는 '분명 잘못한 상대방을 넓은 마음으로 받아주기'에는 꽤 자신이 있었기 때문이다. 아무 일도 없었던 때의 마음으로 돌아가는 방식의 용서는 생각조차 하지 못했다. 하지만 듣자마자 그것이 진정한 용서임을 알았다. 무엇보다 좋은 점은 이러한 용서는 타인과의 관계뿐만 아니라 자기 자신에게도 적용된다는 사실이었다.

'슬플수록 현명해진다Sadder but wiser'는 말은 틀렸다. 그 말은 '슬플수록 더 냉소적으로 된다'의 뜻에 가깝다. 기분이 좋지 않으면 우리는 깊은 지혜의 속삭임은 잊은 채 생각의 소음에만 귀를 기울이게 된다. 지혜의 소리는 슬플 때가 아닌 마음이 편안할 때 가장 잘 들린다.

우리는 대부분의 시간을 자신의 머릿속에 빠져 보내기에 마음의 고요함을 알아차리지 못한다. 북소리와 나팔 소리로 가득한 행진악단에서 피콜로 소리는 잘 들리지 않듯, 시끄러운 머릿속 생각에 지혜의 소리는 묻혀버린다.

그러나 진정한 용서가 일어나면, 그 모든 용서할 수 없는 일이 있기 전, 사랑의 공간으로 다시 돌아가게 되고 언제나 변함없는 우리의 온전함이 드러난다.

이것이 바로 용서가 보여주는 새로운 시작의 가능성이다. 그런 의미에서 마음은 자가청소 기능이 있는 오븐과 비슷하다. 과거에 무엇을 조리했건 상관없이 처음 상태처럼 청소하며, 이전 요리의 맛이나 잔여물의 흔적을 남기지 않는다. 다음번에 사용할 때는 새것처럼 깨끗한 상태다. 끝없이 창조하는 **마음**의 잠재력도 이와 같다.

　새로운 삶을 주는 완전한 용서는 '환생'으로 설명되기도 한다. 하지만 다시 태어나서 하루 종일 더러운 기저귀를 차고 걷고 말하기를 처음부터 배운다고 생각하면 끔찍하니 종교적 의미를 떼어놓고 생각해 보자. 은유적 의미로 삶에서 두 번째 기회를 얻는 것은 멋진 일이 아닌가?

　용서는 처음부터 다시 시작할 기회를 준다. '내게 일어난 일과 내가 했던 일에서 그나마 바랄 수 있는 최선'이 아닌, 깨끗이 청소된 오븐에서 새로 구워진 빵처럼 신선한 시작을 뜻한다. 내가 할 일은 그저 지금까지 굳게 해온 생각에 더 이상 마음을 두지 않는 것뿐이다.

　결국 용서란 나를 괴롭히는 생각을 놓아버리는 일이다. 삶이 왜 다시 좋아질 수 없는지, 나는 왜 다시 괜찮아질 수 없는지, 나는 앞으로 누구도 사랑할 수 없고 사람들도 더 이상 날 사랑하지 않는 것인지, 우리의 관계는 손 쓸 수 없이 망가져 다시는 회복될 수 없는지… 같은 생각을 잊어버리는 과정이 용서다.

용서하기에 늦은 때는 없다. 심지어 용서해야 한다고 생각하는 사람(또는 용서를 구하고 싶은 사람)이 죽어도 늦지 않다. 누가 죽은 후에도 용서하는 사람을 많이 봤다. 그런 때에도 치유는 일어난다. 닫혀 있던 마음이 열리는 모습은 보기에도 아름답다.

이것이 용서의 진짜 힘이다. 용서가 일어날 수 있는 건, 우리는 스스로가 만든 이야기가 아니기 때문이다. 우리는 우리의 생각이 아니다. 우리는 끊임없이 새로운 생각이 만들어지는 내면의 공간이다.

새 스케치북을 펼치고

진정한 용서의 과정은 창조성에도 똑같이 적용된다. 10년 전 출판사 헤이 하우스Hay House의 라디오 프로그램을 처음 시작했을 때, 3개월도 지나지 않아 내 말 보따리가 동나고 나를 포함한 주변 사람들이 흥미를 잃을 거라 예상했다.

그 문제를 해결하기 위해 심리적−영적 사고에 관한 책을 닥치는 대로 읽으며 내 영감 보따리에 특별한 기술과 도구를 가득 채워 넣기 시작했다.

매 방송이 시작되기 전, 전화 연결을 할 사람이 충분하지 않을까 걱정하며 잡다한 조언과 기술이 적힌 프린트물을 준비해 놓았다. 그러던 어느 날, 스튜디오에 늦게 도착하면서 '만약을 대비한' 프린트물을 출력하지 못했다. 처음으로 내 영감 보따리를 놓고 온 것이다. 하지만 놀랍게도, 그날의 방송은 무사히 끝났을 뿐만 아니라 이전에 철저하게 준비했던 방송들보다 훨씬 나았다.

그날 깨달았다.

'영감의 우물에 닿을 수 있다면, 특별한 기술과 도구는 필요 없다'

마르지 않는 창조성의 우물인 **마음**에 언제나 닿을 수 있다는 걸 알면 나는 그저 머릿속을 비우고 우물에 양동이를 넣은 뒤 무엇이 나오는지 지켜보면 된다. 내키지 않는다면 마시지 않아도 된다. 언제든 양동이를 다시 우물에 넣을 수 있으니까.

어디로 가든 과거의 짐을 짊어지지 않아도 되니 마음이 한결 편해진다. 창조력의 우물에서 매번 새로운 생각을 얻는 것에 익숙해지면, 자연스레 영감이 찾아오도록 두는 방식에도 감이 생긴다. 쉽고 즐거울뿐더러 문제에 꼭 맞게 찾아오는 해결책을 보자면 놀라울 따름이다.

무슨 생각이 떠오르든 열린 마음으로 방송하는 것에 점차 익숙해지다 보니, 이 과정이 창조성의 본질과 동일하다는 점이 보이기 시작했다. 모든 형태는 항상 '형태 없음'에서 비롯되고, 모든 것은 무에서 창조된다.

여러 가지 가능성을 브레인스토밍하거나, 방송을 진행할 때, 또는 책이나 칼럼을 쓸 때도 빈 종이와 빈 양동이를 들고 미지의 공간에서 더 많은 시간을 보낼수록 더 많은 영감이 나를 통해 세상으로 나가게 되었다.

말할 거리가 떨어진다는 불안에 갇힐 때를 돌이켜보면, 틀림없이 창조적 잠재력으로 가득한 **마음**에 머무르기보단 오래된 생각을 반복하려고 했었다.

삶도 마찬가지다. 어느 순간이든 우리는 새로운 눈 또는 과거의 눈으로 현실을 바라보기 중 선택할 수 있다. 과거의 방식 그대로 세상을 맞이한다면 모든 것은 금세 식상해진다. 우리의 이야기는 뻔하디뻔하고, 세일즈 멘트는 식상하기 그지없다. 정말로 새로워지기보단 새롭게 보이도록 치장하는 데 급급하다.

반면에 언제든 새로운 상태가 되기로 마음만 먹는다면, 그 어느 것도 지루해지지 않을 것이다.

판에 박힌 생활에서 벗어나 하루의 네 번째 회의도 두려워하지 않을 것이다. 빈 양동이와 빈 종이를 들고 매 순간 깨끗한 상태로 마주할 수 있기 때문이다.

무엇보다도 가장 좋은 점은 창조물이 별로 마음에 들지 않아도 괜찮다는 것이다. 언제든 다시 칠판을 깨끗이 지우고, 양동이를 비우고, 새 스케치북을 펼쳐서 새롭게 만들면 되기 때문이다.

이렇게 비유해 보면 어떨까?

—

모두가 태어나는 순간부터 마법의 소를 동반자로 받는다고 상상해 보자. 언제든 배가 고프면 마법의 소가 신선한 우유를 짜준다. 마법의 소가 주는 우유는 건강하고, 맛도 좋으며, 유당불내증도 걱정 없다.

이제, 시간이 가면서 마법 소의 존재는 잊어버렸지만 그 우유에 대한 갈증은 남았다고 상상해 보자. 갈증을 해소하기 위해 주변의 소를 찾아다니기 시작한다. 가장 신선하고 영양가 높은 우유를 제공해 줄 '진정한 소'를 찾다가 사람들과 다투기도 한다.

심지어 일요일마다 마을에 내려가서 가장 좋아하는 브랜드의 우유 일주일 치를 구비하려고 한다. 주중에 우유가 당기면 언제든 마실 수 있도록 말이다. 그러나 얼마나 훌륭한 농장주에게 길러진 소이든 상관 없이, 병에 담긴 우유는 처음 마실 때만큼 상쾌하지 않다. 우리 자신의 마법 소가 주던 완벽한 영양분과 마법적 품질을 갖춘 우유가 아니다.

누군가는 어린 시절 먹던 우유병을 계속 갖고 다닌다. 하지만 너무 오래돼 상한 맛마저도 자신의 떨어진 미각 탓으로 돌린다.

그러던 어느 날 아침, 마법의 소는 우리에게 태어날 때부터 주어진 영원한 친구라는 사실을 기억하게 된다. 소중한 삶을 충실히 살아가는 동안에도 당신의 영적 본질을 알려주려는 신성한 존재의 선물이다. 소의 부드러운 눈을 바라보며 우리의 친구는 한번도 곁을 떠난 적이 없다는 것을 깨닫는다. 언제나 당신 삶 속에 있었던 그 존재에게 깊은 감사를 느낀다.

여전히 다른 소의 다양한 우유 맛을 즐기기도 한다. 하지만 영양분을 얻기 위함은 아니다. 더는 오래된 우유를 가지고 다니지도 않는다. 우리에게 필요한 건 우리의 친구로부터 언제든 주어지기 때문이다.

—

7

최상의 수행력을 위한 열쇠

○

마음을 비울수록
수행력은 더 올라간다

모조MOJO

잠시 동안 전원을 껐다 켜면,
거의 모든 것이 제대로 작동한다.
당신도 마찬가지다.

- 앤 라못

영화 '오스틴 파워'의 악당 '닥터 이블'은 주인공을 저지하기 위해 그의 '모조'를 훔치려 한다. 사실 모조는 눈에 보이지도 않고 훔칠 수도 없는 것이지만, 악당의 입장에선 매우 완벽한 계획으로 보인다. 누구든 자신의 모조가 작동할 땐 어떤 일이든 할 수 있는 반면, 그렇지 않을 땐 아침에 눈을 뜨기도 버거우며 일을 하거나 새로운 도전을 하는 건 엄두도 나지 않기 때문이다.

사전에 따르면 '모조'란 원래 후두교African hoodoo에서 마

법의 부적을 가리키는 말이지만, 다음과 같은 정의도 나온
다.

모조 Mojo (n) [moh-joh]

명사

1. 매우 뛰어나고 성공적인 사람이 될 수 있도록
   해주는 마법 같은 힘.

다양한 사람들의 잠재력을 깨워주는 일을 하면서 이런
자연스러운 자신감이 삶의 모든 측면에 영향을 끼치는 것
을 봐왔다. 우리의 모조가 작동할 때, 우리는 산도 움직일
수 있다. 우리가 모조를 잃으면, 그 산은 세 배쯤 더 높아
보이고, 산을 움직일 가능성은 아예 없어 보인다.

다행히도 우리는 정말로 모조를 '잃을' 수는 없다. 모조
는 실제 마법의 힘이 아니라, 우리를 통해 흐르는 영적 지
성과 에너지의 느낌을 묘사한 것이기 때문이다. 그 보이지
않는 에너지에 닿을 때 우리는 전기가 흐르는 '생생한 전
선'이 된다. 힘으로 가득 차 영감의 불꽃을 일으키고, 만지

는 모든 것을 밝게 비춘다.

'모조를 잃은' 느낌은 자기만의 생각에 갇혀 원천과의 연결에서 끊어질 때 나타난다. 본체와 연결된 콘센트는 뽑은 채, 남아있는 배터리에 의존하는 것과 비슷하다. 처음에는 큰 차이가 없다. 화면이 약간 어두워지고 일부 기능이 배터리 수명을 아끼기 위해 비활성화되거나 빨리 꺼지는 정도일 테니까. 그러나 시간이 지나고 배터리가 아예 방전되면 세상을 밝힐 빛은커녕 아주 희미한 빛을 낼 에너지조차 남아있지 않게 된다.

만약 삶에서 큰일을 성취하고자 노력하고 있다면 이 느낌이 더욱 와닿을 것이다. 마치 가솔린과 엔진오일이 아닌 침과 식초로 주유한 차가 굴러가는 느낌 또는 8기통의 빵빵한 엔진이 달린 스포츠카를 운전하다 갑자기 쳇바퀴를 달리는 햄스터가 된 느낌이랄까? 겨우 현 상태를 유지하는 것만 해도 벅차서 앞으로 나가고 돌파할 힘은 전혀 없는 상태 말이다. 고작 5%의 배터리 잔량을 붙잡고 혼자 산더미 같은 일을 끝내야 하는 상황처럼 막막한 느낌이다.

하지만 이 모든 방전된 느낌의 이유는 깊은 **마음**으로부터 멀어졌기 때문이다. 배터리가 얼마나 남았건 본선에 다시 연결되는 순간 모든 시스템은 정상 운영된다. 모든 것은 설계대로 작동하기 시작하고, 모든 기능에 다시 접근할 수 있다.

이것이 진짜 '모조를 찾은' 느낌이다. 집으로 돌아가는 길을 찾고 범우주적 **마음**과 다시 연결되는 것이다. 그 순간, 문제로 보이던 것들이 작아지기 시작한다. 충전하는 동안에도 풀파워로 작동한다. 다시 온전함을 느끼며 삶이 당신에게 보내는 입력을 자연이 설계한 디폴트값에 따라 창조적이면서도 우아하게 출력해 낼 것이다.

시스템의 실제 작동법

수행력performance을 이해할 때 어려운 것 중 하나는, 타고난 것과 배우고 연습해야 하는 기술 사이의 근본적인 혼동이다.

예를 들어, 어떤 어려움에도 제자리로 돌아오는 회복력은 태어날 때부터 우리 시스템에 갖춰진 능력이다.

6개월 된 아기가 말할 수 있다면, 어떤 짜증 나는 순간에도, 단 하나의 생각만 지나가면 또는 단 한 번의 포옹만 받으면 다시 조용하고 평화로운 내면의 공간으로 돌아갈 수 있다고 말할 것이다. 그러나 우리 어른들은 수년 동안 쌓아온 화와 짜증을 다루기 위해 '회복력'이라는 기술을 배우고 연습해야 한다고 믿는다.

회복력과 마찬가지로 평온함, 자신감, 학습력, 창의성도 이미 우리 시스템에 내재한다. 식물이 태양 빛을 에너지로 변환하거나 인간의 몸이 음식을 연료로 쓰는 것처럼 삶을 살아가기 위해 고안된 매우 자연스러운 부분이다. 반면에 회사 운영, 피아노 연주, 스포츠 지도, 집필 등은 타고나기보다는 시간, 노력, 배움, 연습을 투자해서 발전시켜야 하는 기술이다.

많은 사람들은 일반적인 것을 자연스러운 것이라 혼동한다. 기어를 1단에 두고 차의 최대 속도가 50km라고 생각하며 만족하는 것이다. 하지만 차의 작동법을 잘 이해하면 낮은 기어에서 엔진을 강하게 밀어붙이는 대신, 높은 기어로 변속하면 된다는 사실을 알게 된다. 엔진과 부품에 더 적은 손상을 입히면서 더 나은 성능으로 더 높은 속도를 낼 수 있는 것이다.

이를 수행력에 대입해 설명하면, 우리의 시스템 작동법을 조금만 이해해도 그 '기어 변속'이 자동으로 일어난다는 의미이다. 의식하지 않고도 훨씬 적은 노력으로 더 멀리 나갈 수 있게 된다.

코칭 분야에서 '기어 변속'을 설명하는 오래된 공식이 있다.

수행력 = 능력+정보

만약 저 공식이 참이라면, 우리와 최상의 수행력 사이에 빠진 퍼즐 한 조각은 정보다. 무엇을 해야 하는지만 알면 우리의 '내재된 능력의 최대치'를 발휘할 수 있는 것이다.

그러나 자신의 삶을 잠깐만 훑어봐도 그 관점의 오류를 알 수 있다. 우리는 평생 얼마나 많은 '성공 전략'을 공부했는가? 그중 실제로 적용된 것은 얼마나 되는가? 결과는 우리가 머리로 아는 것과 실제로 하는 것 중 무엇과 더 연관이 있었는가?

최상의 수행력을 위한 실제 공식은 이와 더 가깝다.

수행력 = 능력 – 방해요소

다시 말해, 방해요소를 제거하면, 우리는 우리 능력의 최대치에 가깝게 수행할 수 있다. 그러나 방해요소를 제거하기 위해서는 먼저 그것이 무엇이며 어디에서 비롯되는지를 알아야 한다.

다음은 모조가 잘 기능하고 있는 '몰입 또는 현존'의 상태에서 우리의 마음이 어떻게 작동하는지 시각적으로 표현한 그림이다.

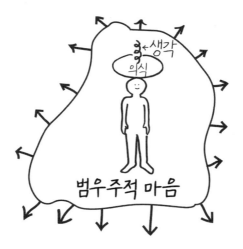

우리가 타고난 자연적인 설계와 조화를 맞출 때, 우리는 **무한한 잠재력**(마음)의 수신체가 되어 **끝없이 확장하고 수축하는 창**(의식)을 통해 **형태를 갖춘 마음 에너지**(생각)를 경험하게 된다.

우리가 최상의 상태로 작동하기 위해 해야 하는 단 한 가지는 시스템이 설계대로 작동하기를 허용하는 것뿐이다. 우리는 범우주적 지성인 **마음**과 발맞추어 삶을 살아간다. **마음**이 만들어내는 지혜는 *신선한 아이디어, 창조적 가능성, 사랑스러운 기억, 순간순간의 방향 감각의 모습*form을 한 **생각**으로 우리의 **의식**에 찾아온다.

그 위대한 설계를 방해하는 것은 무엇인가?

문제는 머릿속을 헤집고 다니는 '개인적 생각'이 최상의 상태를 가져다주는 '마법의 소에서 갓 나온 신선한 우유 같은 생각'을 덮어버린다는 것이다. 우리는 세상이 아닌 **생각**을 경험하기에, 우리가 보는 세상은 의식이라는 거울로 둘러싸인 방 안에 맺히는 우리 자신의 생각이다. 마음에 떠다니는 생각이 많아질수록 의식의 창(조리개)은 좁아지고 모든 것이 복잡하게 보이기 시작한다.

결국 그 머릿속 생각을 분석하고 통제하려다가 문제에 빠지고 만다. 생각을 통제하는 데 신경을 쓰다가 우리의 삶을 자연스럽게 이끌어주는 **생각**의 힘과 깊은 **마음**의 지성을 완전히 잊어버리는 것이다.

아마 이런 모습일 것이다.

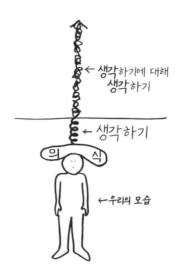

간단히 말하자면 우리는 머리가 쉴 때 뭐든 더 잘 해내고 머리가 바쁠 땐 일을 그르치곤 한다.

나는 클라이언트에게 그것을 이렇게 설명한다.

　－

당신은 완전한 현존의 상태로 태어나 현재 순간의 본능과 직감을 통해 자연스럽게 삶을 배웠습니다. '호기심'이라는 미덕을 염두에 둬서가 아니라 진심으로 어떤 모습이 펼쳐질지를 궁금해하며 삶의 경이로움을 뒤따른 것입니다. 걸음마를 뗀 이유는 걷는 게 중요해서가 아니라 어디론가 가고 싶었기 때문입니다. 옹알이를 시작한 이유도 똑똑해 보이고 싶어서가 아니라 무언가를 표현하고 싶었기 때문입니다.

당신은 빠르게 배웠고 지치지 않고 연습했으며 '실패'에 연연하지 않았습니다. 왜냐하면 실패는 생각조차 하지 않았기 때문입니다. 이는 오늘날 성인이 된 우리가 좀처럼 자연스럽게 배우지 못하고 몰입의 상태에서 일을 수행하지 못하는 이유를 가리킵니다.

바로 개인적 생각에 사로잡혀 방향을 잃기 때문입니다.

우리가 넘어야 할 방해물이 오직 이것뿐이라는 것만 이해해도 이미 반은 이긴 겁니다. 나머지 반은 더 간단합니다.

생각으로부터 자유로워지기 위해 생각을 통제할 필요가 없다는 것입니다.

삶의 경험은 생각으로 만들어진다는 점을 깨달으면, 당신을 붙잡던 생각들은 힘을 잃게 됩니다. 마치 꿈속에서 꿈꾸는 중이라는 것을 알아차리거나 영화관에서 영화에 빠져 있었다는 사실을 의식하는 것과 같습니다.

우리가 특별히 뭔가를 해야 하는 건 없습니다. 더 이상 생각에 숨을 불어넣지만 않는다면 생각이라는 드라마는 뒷배경으로 물러나고 다시 생생한 '지금'에 있는 스스로를 발견합니다. '지금'에 사는 '나'가 우리가 원하는 바를 이루기 위해 필요한 것들을 자연스럽게 수행해 나갑니다.

8

삶이 이끄는 삶

○

어떤 순간에도
개인적 마음을 신성한 마음에
일치시킬 수 있다

지혜 다운로드

그대 안의 진흙이 가라앉아 물이 맑아질 때까지
인내심을 갖고 기다릴 수 있는가?
올바른 행동이 저절로 일어날 때까지 가만히 있을 수 있는가?
-노자

영화 '매트릭스'에서 네오가 트리니티에게 헬리콥터를 조종할 수 있는지 묻는 장면은 내가 지금껏 본 영화 중 가장 멋진 장면이다. 트리니티는 "아직"이라 말한 뒤, 눈을 감고 매트릭스 바깥에서 헬리콥터 조종술을 다운로드 받은 후 바로 헬리콥터를 타고 적을 부숴버린다

영화가 나오고 몇 년 후, 켄 윌버와 코넬 웨스트 박사의 '철학자 해설'이 담긴 특별판 DVD를 봤다. 아마 영화의 성공 대부분은 빛나는 가죽 재킷을 입고 두카티 오토바이를

타며 섹시함을 뽐내는 중성적 매력의 배우들에게서 기인하겠지만, 일부는 '영원의 철학'의 정수를 담은 주제에서 비롯되었다는 사실을 알게 되어 기뻤다.

영화는 완전한 판타지이지만, 사람들은 생각으로 창조된 현실에 살며, 그 개인적 생각 너머에 인식하지 못하는 세계가 존재한다는 이야기는 완전한 영적 사실이다. 나는 아직 헬리콥터를 조종하거나 간질이 있는 원숭이의 뇌 수술을 가능하게 하는 기술을 다운로드 받지는 못했지만, 내가 삶을 살아가는 방식은 거의 전적으로 **마음**의 이 특별한 능력에 의존하고 있다.

다음은 세 가지 원리가 어떻게 우리의 뇌와 함께 작용하여 삶의 경험을 창조하는지 보여주는 그림이다.

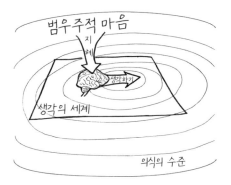

한정된 시야 속에서 우리는 자신의 생각에 갇혀 산다. 생각에 갇혀 자신의 경험이 생각이 아니라 객관적 사실이라 착각한다. 그러다 한층 시야가 넓어지고 좀 더 나은 의식 상태가 되면, 우리는 생각을 살아가며 그것은 결코 객관적이지 않다는 사실을 깨닫는다. 더욱 깊은 의식 차원에 들어서면 생각이 두 갈래로 나뉘어 보이기 시작한다. 하나는 기억이나 지식과 같은 뇌의 작용으로서의 생각이고, 다른 하나는 영감, 직감 또는 지혜처럼 어디선가 뇌로 다운로드된 것 같은 생각이다.

우리가 경험하는 모든 것은 **생각**이다. 무엇이 어떻게 생기건, 어떤 맛이나 냄새가 나건, 어떤 감촉이건 상관없이 우리는 **생각**으로만 경험을 한다. 다른 방식의 경험은 없다. 이러한 인간 매트릭스 굴레 너머에는 삶 그 자체이자 지성인 **마음**이 존재한다.

30년이 넘는 시간 동안 많은 성취를 이룬 사람들을 만나며, 어쩐지 그들 모두는 하나 같이 삶의 안내를 받을 수 있도록 개인적 생각의 스위치를 잠시 내리는 법을 터득했다는 인상을 받았다. 그들이 설명한 깊은 지성의 안내는 대부분 개인적 생각이 잠시 물러난 자리에 들어오는 것 같았다. 여유롭게 샤워하다가, 체육관에서 몸을 움직이다가, 서두르는 출근 중에 또는 한가로이 자연 속을 거닐다가, 카페에서 느긋하게 커피를 마시다 일어난다. 어떤 때에는 좀 더 형식적인 의식을 통해 발현된다. 어두운 방에서 명상 수행을 하거나, 초월적 존재에게 기도하며 개인의 의지를 신에게 내맡길 때 일어난다.

그들은 '카네기 홀에 어떻게 가지?', '물의 끓는 점은 뭐지?'와 같은 사실에 기반한 질문은 자신이 축적한 데이터에서 찾지만, '스스로를 너무 몰아붙이지 않고 회사를 빠르게 성장시킬 방법은 뭘까?', '중동 문제를 어떻게 다뤄야 할까?', '진짜 나는 누구이며 어떻게 살아야 하는가?'와 같은 열린 질문은 마음의 깊은 지성에 맡길 줄 알았다.

내 스스로 경험한 바는 이렇다.

주의를 내면으로 돌리고 생각이 떠돌아다니도록
놓아두는 순간, 새로운 생각이 들어오기 시작한다.

언제나 멋지고 현명한 생각만 들어오는 것은 아니다.
하지만 내면의 지혜를 자주 들여다볼수록, 다음에 무엇을
해야 할지 더 정확히 알게 된다.

행위자 없는 행위

이 분야에서 나의 큰 스승인 조지 프랜스키는 나의 소
중한 친구이기도 하다. 내가 가장 좋아하는 '조지의 일화'
중 하나는 그가 새로운 인턴과 기업 중재를 위한 세션에 나
갔던 때의 일이다. 첫 세션은 엉망이었다. 모두가 서로에게
소리를 질렀고, 조지의 카운슬링은 대부분 무시됐다.

첫 휴식 시간, 인턴이 조지에게 다가와 말했다. "정말 끔
찍했어요!"

조지가 답했다. "맞아, 정말 그랬어!"

"어떻게 하실 거예요?" 인턴이 심히 당황한 기색으로 물었다.

"아직 잘 모르겠네" 조지가 차분하게 대답했다. "하지만 20분 정도의 시간이 남았으니, 그동안 뭐든 떠오르길 바라야지"

휴식 시간이 끝나고 인턴이 다시 물었다. "어떻게 하실지 생각하셨어요?"

"아니, 아직 떠오른 게 없네"

"그러면 어떻게 하시려고요?"

"모르겠네"

인턴은 화를 냈다. "뭔가를 해야죠. 그들이 우리에게 엄청난 돈을 주고 뭐든 해주기를 기다리고 있잖아요!"

조지가 놀라서 말했다. "내가 어찌하겠어. 억지로 뭔가를 꾸며낼 순 없잖아."

조지는 인턴이 미처 깨닫지 못한 두 가지 사실을 알았기에 그다지 당황하지 않을 수 있었다. 첫 번째는 스트레스와 압박감은 창의적인 혁신에 도움이 되지 않는다는 것이고, 두 번째는 내면의 앎은 반드시 찾아오며 기다릴만한 가치가 있다는 사실이다.

마음이 잘 작동할 땐 명료하다. 알거나 모를 뿐, 억지로 답을 찾거나 꾸며낼 때 느껴지는 회색지대의 모호함은 없다.

세 가지 원리를 알기 전에도 나는 가끔 내 삶의 다음 여정에 대한 완전한 명확함을 경험하곤 했다. 1980년대 말, 드라마 스쿨에 가기 위해 영국으로 떠나는 것은 내겐 너무나도 쉬운 결정이었다. 마찬가지로 10년 후 안정적인 커리어를 포기하고 미국으로 다시 돌아온 것도 내겐 분명했다 (비록 아내는 내가 좀 미쳤다고 생각했지만). 그러나 이렇게 드물게 찾아오는 명확한 순간을 제외하면 나도 늘 불확실함에 시달렸다. 단순한 갈림길에서조차 결정을 내리기 힘들어하며, 삶의 뒷배경에는 언제나 스트레스가 깔려 있었다.

'내면으로부터의 이해'가 점차 쌓이자 마음이 지닌 명료함이 드러났다. 그동안 내가 스트레스를 받은 이유는 무얼

해야 할지 몰라서가 아니었다. 그보단 내 작은 뇌의 한정된 지식과 경험에만 의존해 삶을 풀어나가야 한다는 착각에서 비롯되었다. 흔히 '직감', '안내' 또는 '내면의 앎'이라 불리는 초월적 지성에 점차 의지하기 시작하자, 억지로 답을 내리려고 애쓰고 스스로를 압박하며 사는 삶이 더 이상 매력적으로 보이지 않았다.

시간이 쌓이며 마음에 관해 분명해진 세 가지가 있다.

1. 알면 알고, 모르면 모른다.
2. 마음이 제자리를 찾고 고요해지면 언제나 들려오는 깊은 지혜가 있다.
3. 아는 순간을 알아차릴 것을 안다.

첫 번째는 내가 아는 때에는 그 안에 뛰어들겠지만, 모를 땐 괜히 아는 척하지 않는다는 뜻이다.

두 번째는 미지의 공간을 맞닥뜨려도 편히 마음을 놓고 답이 드러날 때까지 그저 지금에 머무른다는 말이다.

세 번째는 아직 알지 못하는 상태임에도 알아야 한다는 강박으로 스스로를 짓누르는 압박과 고통에서 벗어나, 기다릴 줄 아는 인내심이 내게 있음을 뜻한다.

기억해야 할 것을 기억하지 못할 때

언젠가 시드니 뱅크스는 친구에게 "나는 항상 사람들에게 내면을 바라보라고 말하는데 아무도 그렇게 하지 않아!"라며 슬프게 토로했다고 한다.

그 이야기는 중요한 질문을 던진다.

"우리 모두 깊은 마음에 살면서 느껴지는 풍부하고 깊은 감정들과 지혜를 사랑하고 그것의 가치를 아는데, 왜 항상 그곳에 머무르려 하지는 않을까?"

내 자신의 삶에서도 오래 씨름해 온 문제이기도 하다. 특히, 내가 이 길을 더 깊이 나아갈수록 크게 느껴졌다.

이 질문이 나에게 보이는 모습은 다음과 같다.

당신은 감마 사분면의 소행성 지역을 순찰하는 작은 우주선의 조종사이다. 이 직업을 시작한 이후 XCF-531라고 알려진 비정상적으로 큰 소행성에 대한 소문을 들어왔다. 이 소행성은 특별한 치유력을 가진 희귀 광물로 이루어져 있다고 한다. 소행성에 대한 일부 이야기는 거의 '대서사시'에 가깝다. 그 소행성에 터를 잡은 고대 문명의 이야기와 우주선이 발명되기도 몇 세기 전, 그곳을 여행하게 된 탐험가들의 이야기도 있다.

기회가 주어지자마자 당신은 그 소행성을 확인하러 간다. 하지만 실망스럽게도 그것은 다른 소행성들과 별반 다르게 없어 보인다. 메마른 돌투성이 바닥에 황량한 분위기만 맴돈다. 결국엔 그저 모두 미신을 믿는 사람들에 의한 지나친 상상력의 결과라고 여긴다.

그러던 어느 날 다시 XCF-531 근처를 순찰하게 되고, 이번엔 조금 더 가까이 가서 살펴보기로 결심한다. 우주선이 소행성의 궤도에 진입하는 순간, 이상할 만큼 평온한, 거의 잠에 빠져드는 것 같은 느낌이 당신을 감싼다. 즉시 우주선

안의 산소 농도를 확인하지만 우주선 내 모든 시스템이 안정적이라는 것을 발견한다.

궤도에 안착하고 아래를 내려보자, 놀랍게도 메마른 사막으로 보였던 곳이 생명력으로 가득 찬 곳으로 다시 보인다. 소행성 전체가 살아있는 것처럼 보이고, 우주선 엔진의 굉음을 뚫고 생명의 소리가 들려오는 것 같다.

우주선의 측정값을 확인하니, 놀랍게도 소행성의 대기가 인간에게 적합할 것으로 보인다. 그래서 규정을 무시하고 표면으로 내려가기로 한다. 미지의 곳에 내려가는 것이 두려울 법 하지만, 신기할 만큼 차분하다. 몸 안의 모든 세포가 모든 것이 괜찮다고 알려주는 것 같다.

그다음 일들은 조금 혼란스럽다. 먼저 감정이 그렇다. 이런 더할 나위 없는 활기찬 느낌은 보통 아침에 처음 눈을 뜨고 나서 하루의 온갖 걱정들이 머릿속에 들어오기 전, 달콤한 비어있음의 순간에만 느껴지기 때문이다. 하지만 곧 그 감정에 익숙해지고, 몽롱한 느낌은 편안함과 분명함의 놀라운 느낌으로 바뀐다. 감각이 예민해지며, 소행성 표면의 생태계로부터 가시적인 생명력이 뿜어져 나오는 것을 본다.

산소로 가득 찬 공기를 들이마시며 치유의 감각으로 몸이 회복됨을 느낀다. 정신적 명료함을 되찾으면서 오랫동안 궁금해하던 것들을 그저 알게 되는 순간이 온다. 이 정신적 명확성과 깊은 안온함을 갖고 살아갈 수 있다면 얼마나 좋을지 상상한다.

하지만 너무 빨리 우주선으로 돌아가야 할 시간이 온다. 당신은 앞으로 매일 이곳에 오기로 결심하며, 모두가 고통받지 않도록 지금 느끼고 본 치유의 자산을 전 우주에 공유하리라 다짐한다.

소행성의 궤도를 벗어나자, 사람들과 이 발견을 나누게 될 것에 들떠서 안온함의 느낌이 빠져나가고 그 자리에 세상의 걱정이 들어오는 것조차 눈치채지 못한다. 게다가, 소행성에서 멀어질수록 그 경험 전체가 꿈처럼 느껴지기 시작한다. 분명히 보았다고 생각한 그 생명력은 단지 시각적인 환영이었을 것이며, 만약 소행성이 생명을 지탱할 수 있다 하더라도 당신이 상상한 만큼의 치유력은 불가능할 거라는 생각이 든다.

결국, 너무 많은 시간을 혼자 보내서 '약간 맛이 간' 상태라고 오해받지 않도록 그 경험을 보고하지 않기로 한다. 얼마 지나지 않아 원래 살던 방식으로 돌아가게 되고, 아주 가끔만 XCF-531을 공전하며 느낀 아름다운 감정을 떠올리며 그곳에 다시 가면 어떨까 궁금해한다.

—

임무를 기다리며

몇 달 전, 런던 중심부의 아이비 클럽에 모여 나의 열혈 학생들과 함께 앉아 있었다. 이들은 모두 적어도 한 해 이상 나와 함께 세계를 돌며 사람들과 세 가지 원리의 이해를 나눈 학생들이었다. 우리는 아름다운 아트 데코 공간의 오래된 참나무 탁자 주위에 모여 앉아 점심을 먹으며, 모두 이어가야 할 삶은 있지만 당장 이뤄내야 하는 특별한 목표가 없다는 사실에 웃고 있었다.

이들을 바라보다 문득 제2차 세계대전 동안 임무를 기

다리는 사이에 커피를 마시며 휴식을 즐기는 영국 공군 전투 조종사들이 떠올랐다. 그들은 분명 어느 시점에는 비행에 호출될 걸 알았지만 임무에 대한 결정권은 없었으며, 자신의 비행 실력을 빼곤 앞으로의 상황에 아무런 영향을 줄 수도 없었다.

조종사들의 일은 다음 임무를 위해 준비를 갖추고, 임무가 내려오면 비행기에 올라 최선을 다해 비행하는 것뿐이었다. 이와 같은 모습은 나에게 '삶이 이끄는 삶'을 사는 것에 대한 완벽한 은유로 다가왔다.

우리는 미지의 곳에 머무르며 앞으로 무엇이 일어날진 모르지만 특별히 걱정하지 않는다. 우리는 무언가가 일어날 것을 안다. 언제나 그랬기 때문이다. 다음 임무는 밖에서 우리에게 주어지거나, 우리 안에서 떠오르는 식으로 분명해질 것이다. 여기에 우리가 걱정할 바는 없다. 다음 사람이 우리 삶에 나타날 것이고, 다음 기회가 찾아올 것이다. 때가 되면 때가 온 것이다. 우리는 그저 자신의 비행기에 몸을 싣고 날아가면 된다.

그 감정과 앎에는 어떤 사랑스러움이 있다. 그것이 더 깊은 **마음**에서 살아가는 것의 본질이다.

9

우리는 언제나 집이었다

◯

진정한 본연에 머무르는 것이
전부다

나아감을 정의하자면

가야 할 곳은 없다. 당신은 이미 집이다. 당신은 집을 떠난 적이 없다.

– 라마나 마하르시

거의 20년 동안 '내면으로부터의 이해'를 공유하면서 학생, 클라이언트, 지도자들에게 거듭해서 받는 공통 질문이 하나 있다. '바깥세상을 경험하는 것이 아닌 내 생각을 경험하며 살고 있다면, 내가 성장하고 있는지는 어떻게 알 수 있는가?'

'길 없는 길'에서 '나아감'에 대한 공식적인 기준은 없지만, **마음**, **의식**, **생각**의 세계를 향한 여정에서 나와 클라이언트들에게 길잡이가 되어 준 지표는 있다.

1〉 당신 자신으로 있는 것이 더 즐거워졌는가?

다양한 기업들을 대상으로 수년간 세 가지 원리를 교육해 온 전문 지도자 셰릴 본드와 이 문제에 관해 이야기를 나누었다. 그녀는 세 가지 원리를 배움으로써 스스로가 성장하고 있는지 의문을 가진 사람들에게 이렇게 묻는다고 했다. "당신 자신으로 있는 것이 더 즐거워졌나요?"

만약 그렇다면 오래된 생각을 내려놓고 내면의 집에서 더 많은 시간을 보내며 자신의 지혜와 평화의 흐름을 즐기고 있는 것이다. 그렇지 않다면, 고요한 풍경을 잃고 생각의 소음에 휩싸여 세 가지 원리는 그저 생각해야 할 또 다른 무언가, 따라야 할 또 다른 규칙이 되어버린 것이다.

개인적으로는 위의 질문에 "더할 나위 없이 즐겁다"고 답할 것이다.

여전히 삶에는 좋은 일만큼 나쁜 일이 생기고 그에 따라 나의 감정도 변화하지만, 그 어떤 것도 생생히 살아있음의 경험, 그 경이로운 본질을 억누를 순 없다. 이 사실을 잊어선 안 된다. 한때 나는 교육 안내 책자에 이렇게 적었다. '멋진 삶이 주어졌는데도 그것을 알아차리지 못한다면 정

말 안타깝지 않겠어요?'

2> 감사와 은혜

최근 코칭 세션 중에 한 클라이언트가 삶에 더 많은 '감사와 은혜'를 느낀다고 말했다. 그녀는 삶에서 일어나는 좋은 일들에 엄청난 감사를 느끼며, 동시에 삶의 어려움과 상처 또한 차분하게 마주할 수 있게 됐다고 설명했다.

나는 그 말에 크게 공감했다. 오랫동안 나는 왜인지 모르게 삶에 감사하는 마음을 가지면 괜스레 신의 이목을 끌어 결국 내가 가장 사랑하는 것을 빼앗기리라는 망상이 있었다. 당연히 지금은 그 '신'이 내가 삶을 얼마나 사랑하고 감사하는지에 따라 무언가를 주거나 앗아가지 않음을 안다. 내 삶을 앗아갈 수 있는 건 오직 불안과 두려움을 담은 생각뿐이다. 이 이해는 더 많은 사랑과 감사의 마음으로 삶에 흠뻑 빠질 수 있도록 해주었다.

3> 깊이, 순수 그리고 지속성

우리의 마음이 조용해지고 생각이 자유롭게 흐르기 시

작하면 열리는 내면의 공간을 가리키기 위해 '집으로 돌아오기coming home'에 대한 비유를 사용했다. 내 이전의 책 The Inside-Out Revolution(국내 미출간-옮긴이)에서 나는 '집'을 다음과 같이 설명했다.

[우리 모두에겐 조건과 환경에 영향받지 않는 깊은 본질이 있다. 이것을 '내면의 빛' 또는 '내면의 불꽃'이라 부를 수도 있다. 그것은 우리의 영감, 생명력 그리고 생동감의 원천이다. 가끔 나의 클라이언트들은 이것을 자신들의 '반짝임'이라고 부르기도 한다. 그들 안에 숨 쉬는 생명력의 불꽃이 눈의 반짝임으로 드러나는 것이다.

이 내면의 빛은 순수한 **의식**으로 이루어져 있지만, 우리가 생각이라는 환상에 사로잡히면 그것과 단절된다. 처음에는 무언가 조금 이상하다는 모호한 느낌 말고는 다른 점을 인식하지 못한다. 하지만 일은 예전만큼 만족감을 주지 못하고, 우리의 파트너 또한 예전만큼 멋지거나 아름답거나 사랑스럽지 않은 것 같으며, 자기 자신도 잘못됐다고 느껴지기 시작한다.

우리는 태어나면서부터 '밖에서 안으로 향하는 세계의 신화'를 믿도록 길들여졌다. 안정감과 기쁨 그리고 마음의 평화는 더 나은 직장을 갖고, 더 나은 파트너를 만나고, 더 나은 내가 되어야 가능하리라 믿는다. 하지만 그런 느낌을 얻기 위해 자신을 바꾸려고 노력할수록 본연의 자아에서 점점 더 멀어지고, 그런 모든 것들이 중요하게 느껴질수록 점점 더 길을 잃는다는 것이 아이러니다.

　　우리가 문제라고 착각하는 바와는 다르게, 진짜 문제는 우리 내면의 지혜와 안정감으로부터의 단절이다. 우리가 다시 근원의 에너지와 연결되는 순간, 우리의 문제들은 더 이상 문제로 느껴지지 않고, 다시 새로운 현실을 볼 수 있다.]

　　우리 내면의 지혜와 평화의 집으로 돌아올 때마다 삶의 경험은 더 편안해진다. 머리 위에 배를 올려놓고 우둘투둘한 강바닥을 맨발로 밟으며 불안정하게 가기보단, 삶의 강물이 흐르도록 허용하고 보트에 올라타 물살을 즐기면 되는 것이다. 강이 우리를 어디로 데려가는지는 확인하지 않아도 된다. 배에 올라탄 순간, 우리는 이미 집이다.

그래서 이게 다 무슨 의미일까?

간단히 말해, '내면으로부터의 나아감'은 외부 목표를 성취하거나 인생의 각 범주에서 높은 점수를 얻는 것으로는 측정할 수 없다. 그보단 본연의 안정감에서 더 많은 시간을 보내고, 삶을 우아하고 감사하게 살아 나가며 우리 본연의 자아 ― 내면의 공간 ― 와 더 오래 더 깊이 연결되는 것으로 느낄 수 있다.

음악에 말을 더해서

사람들이 자신만의 내면 공간을 경험하기 시작하면, 이를 다른 사람들과 공유하려는 자연스러운 욕망이 생긴다. 그러나 자신이 경험한 것을 전달하는 것이 얼마나 어려운지에 놀라곤 한다. 철학자 니체가 말했다. '춤추는 이들은

음악을 듣지 못하는 이들에게 미친 사람으로 보인다'. 그러
나 그 어려움은 풍부해진 경험과 이해에 비교하면 별것은
아니다.

아마 이런 느낌이지 않을까?

['내면으로부터의 이해'를 배우면서, 당신은 점점 더 삶의
음악에 몸을 맡기게 됩니다. 그리고 사람들과 이를 나누기
시작하면서, 음악에 말을 더하는 법을 배우게 됩니다.]

내가 운영한 '슈퍼코치 아카데미' 프로그램의 학생이었
던 마리나 갈란이 이 현상을 가장 아름답게 표현했다. 그녀
는 지금 멕시코의 취약 계층 어린이들에게 '내면으로부터
의 이해'를 전하는 자신만의 프로그램을 운영하고 있다. 다
음 글을 시간을 들여 읽기를 권한다. 그녀의 말 아래에 흐
르는 음악을 들을 수 있도록.

깊은 곳으로.

깊숙이 들어간다면

우리의 영혼들은 서로 감싸안고

한데 엮일 것이다.

우리의 결합은 빛날 것이고

신마저

우리를 구분하지 못하리라.

−하피즈

○

내가 참여했던 프로그램 '변화를 이끄는 대화'를 떠올리면 가장 먼저 마이클 닐(저자의 이름_옮긴이)이 **집**HOME이라는 단어가 적힌 포스트잇을 손에 들고 있는 모습이 그려진다. 그때는 우리가 함께 보낸 시간의 첫날이었다. 그는 매우 진지하게 모든 여정은 '집으로 돌아오는 길'이라 말했다. 모두가 고요히 그 말의 의미를 느끼며 방 안에 좋은 기분이 가득 퍼진 것을 기억한다.

프로그램이 진행되는 동안, 우리는 점점 더 자기 자신을 신뢰하고, 다른 이들을 신뢰하고, 우리를 둘러싼 모든 것 그리고 삶 자체를 신뢰하게 되었다. 온 세상이 집이 되는 경험은 매우 신나고 기쁘면서도 안전한 모험이 되었다.

그러나 첫날 마이클이 말한 이야기의 깊이를 진정으로 이해하게 된 건 마지막 날에 가서였다.

찾아오지 않았으면 했던 마지막 날이 다가오고, 작별 인사를 준비하는 사람들을 보며 뭔가 이상한 점을 발견했다. 우리의 인사에는 헤어짐의 느낌, 우리가 집을 '떠날 때' 필연적으로 찾아오는 슬픔이나 향수의 느낌이 없었다.

정말로 아무것도 떠나간다는 감각이 없었다. 아무것도. 정반대로, 우리의 손과 마음은 가득 차 넘쳐 흘렀다. 남기고 가야 할 무언가나 떠나야 할 어떤 곳이 전혀 없었기 때문이다. 무슨 일이 있었건, 어떤 것이 있었건, 모든 것이 우리와 함께했다.

깨달음이 찾아왔다. 집으로 돌아온 느낌은 프로그램이나 마이클과 그의 동료들, 다른 참가자들 또는 그동안의 배움에서 비롯되지 않았다. 그것은 나로부터 시작되었다. 나 자신이 집이 된 것이다. 다른 모두도 그랬다. 우리 모두 가장 넓고 자유로운 집이 되었다.

✦ 자신과 다른 이들을 진실로 볼 수 있는 능력이 생기며 우리는 모두를 위한 집이 되었다. 모두가 마음 놓고 쉬며, 더 나아가 스스로의 모습을 발견하는 항구가 되었다.

✦ 언제든 자연스럽게 돌아오게 되는 내면의 공간을 인지하면서, 더는 바깥에서 정체성과 인정을 찾지 않는, 우리 스스로를 위한 집이 되었다.

✦ 우리가 바라던 '이상적인 자아'가 실은 매우 단순한 동시에 매우 신성한 지금의 **나**라는 것을 이해하자, 우리는 진정한 **자신**의 집이 되었다.

✦ 모든 것과의 필연적 일체감이 드러나며, 우리는 하나로 확장하는 **의식**의 집이 되었다.

✦ 끝없이 성장하고 변화하는 가능성의 발현으로써 자신을 받아들이자, 우리는 전 우주의 집이 되었다.

이 대화로의 초대는 당신이 생각하는 '당신'을 위한 것이 아니다. 초대는 참된 **당신**을 위한 것이고, '변화를 이끄는 대화'에서 보내는 매 순간 그 참된 **당신**이 부름을 받고 있다. **당신**이라는 기적은 숨기려 해도 기어코 숨겨지지 않는다.

이제 그 **당신**은 더 이상 다른 무엇도 바랄 게 없을 만큼 환영받는다. **당신**이 아닌 것을 내려놓고 싶다는 감정을 따른다면, 삶은 조심스럽고도 사랑스럽게 매 순간 **당신**을 통해 창조된다. 온 세상이 우리의 집이 되는, 그 새롭고 기적적인 존재의 경험은 더없는 기쁨이다.

마지막 몇 가지 생각들

마음은 신의 소리를 듣기 위해 존재한다.

– 시드니 뱅크스

거의 모든 프로그램에서 보게 되는 아름다운 순간이 있다. 참여하는 사람들이 처음으로 '내면으로부터의 이해'를 하고 삶의 영적 본질에 대한 통찰을 얻을 때의 모습이다. 깨달음의 순간은 마음의 고요함으로, 몸으로 전해지는 평화와 충만함의 느낌으로 드러난다. 그리고 깊은 내면의 빛은 눈의 반짝임과 미소로 새어 나온다.

사실, 이런 일은 놀랍도록 규칙적으로 일어난다. 프로그램 사이의 쉬는 시간에 아내는 늘 이렇게 묻는다. "아직 다들 '팝pop' 안 했어?" 정확한 시간을 예측하긴 어려워도

한 번 가열되면 분명 '팝!'하고 터지는 팝콘처럼 말이다.

　모두들 '팝'하고 나면(심지어 그렇지 않았을 때도), 자신들의 바쁜 일상으로 다시 돌아갔을 때 그 새로운 통찰과 명료함 그리고 마음의 평온함이 어떻게 펼쳐질지 그려보곤 한다.

　하지만 삶의 이해에 있어 근본적인 변화를 경험한 후에는 앞으로 마주해야 하는 상황이 어떻게 느껴질지 전혀 예상할 수 없다. 과거에는 '어려움' 또는 '위기'로 보였던 상황이, 이제는 아무렇지 않게 느껴질 수도 있다. 심지어 어떤 클라이언트들은 그들의 삶에서 '불편했던 사람들'이 갑자기 도움을 주거나 평소답지 않게 직장이나 가정에서 조용하고 차분하게 굴기 시작해 그동안의 배움이 자신에게 얼마나 영향을 주는지를 알 수 없다고 불평하기도 했다.

　이런 현상은 영적인 삶이 무엇인지 생각해 보면 이해하기 쉬워진다.
　영적인 삶은 영혼이 가득 채워진 삶이다.

영혼이 채워진 삶은 어떤 모습으로 보일까? 아마 대부분의 시간을 자연에서 보내거나 기도 또는 명상을 많이 한 삶으로 보일 수도 있다. 또는 얼굴에 옅은 미소를 띤 채 안정적으로 일하는 이미지일 수도 있다. 때로는 성공의 전형으로 보이기도 하고, 파산이나 이혼을 한 뒤의 새로운 시작처럼 보일 수도 있다.

영혼은 삶의 내면을 채운다. 그렇기에 우리 삶의 환경이나 행동을 바꾸지 않고도 영적인 삶을 살 수 있다. 삶에 필요한 변화는 우리의 특별한 의지나 노력과 상관없이 저절로 찾아올 것이다.

언젠가 매우 솔직한 학생이 영적 본질을 깨닫고 영혼이 가득 찬 삶을 사는 것이, 명백한 문제를 직접적으로 돕는 것보다 높은 수준의 변화를 일으킨다는 생각에 이의를 제기했다.

"당신은 어떨지 모르겠지만" 그가 말했다. "누군가 다리가 부러져 내게 온다면, 나는 그들의 영적 본질에 대해 이야기하기 전에 그 다리부터 고쳐줄 거예요!"

"나도 그렇게 할 거라 생각합니다" 내가 답했다. "하지만 내 경험상으로 말하자면, 영혼의 눈을 통해 세상을 보기 시작하면 다리를 다친 사람들은 당신이 생각했던 것보다 훨씬 적다는 걸 알게 될 거예요"

당신의 삶 모든 곳에 행운이 깃들기를 바랍니다. 당신 안의 빛이 당신의 주변 세상을 비추길 바랍니다.

모든 사랑을 담아.

Michael 마이클.

감사의 말

가끔 학생들에게 땅콩버터 샌드위치를 만드는 데 몇 명이 필요한지 생각해 보라고 합니다. 간단해 보이지만, 밀과 땅콩을 심는 농부, 병을 만드는 유리나 플라스틱 제조업자, 칼을 만드는 대장장이, 접시를 만드는 도예가까지 수없이 많은 사람을 떠올려야 합니다. 한 권의 책을 만드는 데 기여하는 사람들의 수를 세는 것도 마찬가지입니다. 그러니 이 책의 핵심 참여자들에게 최대한의 감사를 표하는 동안, 다른 많은 분들에게 빚진 감사의 마음은 세세히 표현하지 못하는 것을 부디 이해해 주길 바랍니다.

나의 에이전트 로버트 커비 그리고 헤이 하우스 팀의 미셸 필리, 리드 트레이시, 마거릿 닐슨에게 감사의 말을 전합니다. 당신들의 놀라운 믿음과 인내로 이 모든 것이 가능했습니다. 이 책은 나와 내 편집자 리지 헨리와 함께한 네 번째 책입니다. 그녀의 세세한 끈기 덕분에 나의 많은 실수들이 책에 실리지 않을 수 있었습니다. 책의 모양과 느낌을 잡는 것에 도움을 준 줄리 오튼과 리안 슈 아나스타시에게도 비슷한 감사의 말을 전합니다. 일러스트레이션을 맡아 준 내 최고의 친구 데이비드 벌러, 멋진 표지를 만들어준 랜디 스튜어트에게 감사합니다. '시각적 언어'를 구사하지 못하는 내게 나의 머릿속 이미지를 구현해 준 당신의 능력은 하늘이 준 선물입니다.

그다음은 michaelneill.org 팀. 조와 테리 알라모, 사라 머어, 린 로버트슨, 그리고 안네트 와틀링. 인사이드-아웃 커뮤니티를 함께 만들고 지지해 준 당신들이 없었다면, 내가 하는 것들은 절대 세상으로 나갈 수 없었을 겁니다. 긴 시간 동안 나와 함께해준 비즈니스 매니저 미셸 윌더에게 특별히 고맙습니다. 내가 전생에 어떤 덕을 쌓았기에 당신의 관용과 친절함을 받을 수 있었을까요.

서피스 프로4를 개발해준 마이크로소프트에게 놀라운(적어도 내게는) 감사 인사를 전합니다. 이 책을 쓰는 도중 내 오래된 노트북이 고장 났는데, 새 노트북과 서피스 펜으로 즐겁게 작업을 이어갈 수 있었습니다. 아니었더라면 이 책은 중단되었거나, 어떤 일러스트레이션도 없는 채로 나왔을 것입니다.

세 가지 원리 분야의 이해에서 저의 스승과 멘토가 되어준 분들은 셀 수 없이 많습니다만, 최선을 다해 알파벳 순으로 목록을 만들었습니다. 저와 함께 시간을 보내며 일한 모든 분들의 이해가 이 책에 녹아있을 것입니다.

조셉과 마이클 베일리, 딕킨 베틴저, 키스 블레번스, 셰릴 본드, 로빈 샤르비, 칩과 잰 칩먼, 돈 도노반, 마라 글리슨, 마크 하워드, 로버트 카우센, 샌디 크롯, 켄 매닝, 크리스틴 맨즈하임, 가브리엘라 말도나도-몬타노, 레슬리 밀러, 아미 첸 밀스-매임, 발다 몬로, 빌 페티트, 잭 프랜스키, 리나 프랜스키, 샤울 로젠블랏, 테리 루베인스타인, 주디스 세지만, 그리고 에런 터너에게 감사드립니다. 미셸 크리스텐슨에게 특별한 감사를 전합니다. 당신의 축복을 빌릴 수 있게 해줘서 감사합니다. 오랫동안 당신의 빛이 주변 세상을 밝혀주었고, 앞으로도 그 빛은 계속 이어질 것이라는 걸 분명히 압니다. 내게 순수한 영적 노력을 이어 나갈 용기를 주었고, 7장의 그림에 영감을 제공해 준 캐시 케이시에게 특별한 감사를 전합니다. 언제나 나파에서의 추억을 간직할 것입니다. :-)

조지 프랜스키와 엘시 스피틀에게 특별한 감사를 전합니다. 당신들은 나의 롤 모델이자 길을 이끌어주는 길잡이입니다. 당신들과 함께하는 매 순간에 감사합니다. 당신들에게 시드니 뱅크스가 그랬던 것처럼, 나에겐 당신들이 그런 존재입니다. 당신들은 언제나 내게 놀라운 가르침을 주는 사랑의 멘토이자, 동료이자, 친구입니다.

너무도 진심이기에 말로 표현할수록 불완전할 수밖에 없는 감사의 말을 전합니다.

*로버트 홀든, 당신의 아름다운 서문과 긴 시간의 우정에 감사합니다. 당신이 나의 글을 읽고 그것에 대해 이야기할 가치를 느낀다는 것은 나를 겸손하게 만듭니다.

*변함없는 지지와 25년의 우정을 함께 해준 폴 맥케나에게 감사합니다.

*이 책의 초고를 읽어주고 공개적으로 친절한 말씀을 해 주신 모든 분들에게 감사드립니다. 어떤 것에 대한 의견을 공개적으로 나누는 것이 어떤 의미인지 압니다. 여러분의 관대함과 솔직함에 감사합니다.

*이 책에서 언급한 '하드코어' 그룹 학생들. 나의 수제자이자 이제는 동료인 니콜라 버드, 모린 브라이언트, 알리 캠벨, 일리즈

코이트, 스테판 시비호프스키, 존 엘-모카뎀, 매기 길레비치, 안데르스 헤글룬드, 리비 호지스, 아나 홀름백, 피오나 제이콥, 마틴 얀란드, 카젠 카나가사바이, 그레이스 켈리, 샌드라 커니히, 데니스 린지, 리치 리트빈, 베빈 린치, 토니 맥기네스, 도널드 맥나톤, 수잔 모더럴, 리처드 뉴전트, 니타 오키프, 바브 패터슨, 클레어 슈츠, 제이미 스마트, 제인 스타일스, 그리고 수 트린더. 얼마나 깊은 곳을 향하든, 당신들과 있으면 새로운 곳에 막 발을 디딘 것 같은 느낌을 받습니다.

*나의 모든 클라이언트분들, 독자분들, 청취자분들, 그리고 학생분들에게 감사합니다. 다섯 권의 책, 10년간의 라디오, 1,000개의 블로그 글을 함께 해주셔서 감사합니다. 앞으로도 계속해서 재밌게 배움의 시간을 함께할 것입니다.

마지막으로, 나에게 너무 큰 사람들에게 감사를 전합니다.

*나의 사랑하는 올리버, 클라라, 그리고 메이시. 너희 아버지로서 너희와 함께할 수 있어 정말로 감사하며, 너희의 지금과 앞으로의 모습이 정말로 자랑스럽다. 너희들이 무엇을 할지 세상도 기대할 거야.

*내 삶의 사랑, 니나. 당신이 내게 이렇게 적힌 머그컵을 선물했지. '당신은 세상에서 가장 운이 좋은 남자야. 나도 나랑 결혼하면 좋겠다.' 맞아. 나도 그렇게 생각해. 당신은 세상의 어떤 사랑에 대한 표현도 부족하게 만들지. 이 말도 마찬가지겠지만… '당신이 나를 완전하게 해요'.

참고 문헌

T. S. 엘리엇의 시구

길버트 라일의 〈마음의 개념〉 중 '대학'

리처드 파인먼의 '화물숭배 과학'

Quotation from Richard P. Feynman's 1974 Caltech Commencement

Address reproduced courtesy of Caltech. For the entire address, see:

calteches.library.caltech.edu/51/2/CargoCult.htm

마이클 닐은 우리의 영적 본연과 인간적인 본연 모두를 아름답게 묘사한다. 그는 독자가 두 세계 모두를 바라보도록 이끌며, 두 세계가 결국 하나임을 느끼도록 한다.

엘시 스피틀 (3PHD 설립자이자
《Nuggets of Wisdom》과 《Beyond Imagination》의 저자)

내가 작가이자 감독으로서 최고의 상태에 이르는 순간은 창의적인 생각이 강물처럼 끊임없이 흘러가는 공간에 들어설 때이다. 〈내면의 공간〉에서 마이클 닐은 그 창의성의 공간을 신비화하지 않으면서도, 그 마법을 해치지 않는 쉬운 길을 안내한다.

사차 제바시 (영화 '터미널' 각본가)

〈내면의 공간〉은 우리 존재의 모든 면을 이해하는 따뜻한 지혜를 전달한다. 내면에서 시작되는 평화를 바라볼 수 있는 깨달음은 당신에게 기쁨과 안정감을 줄 것이다.

앤디 파울러 (에미상 수상 시각효과 프로듀서)

이 책은 모든 것의 중심에 있는 '무(無)'라는 가장 중요한 주제를 다룬 뛰어난 책이다. 경험이 일어나는 순수한 의식의 광대한 영역인 내면의 공간을 실용적이고 유용한 방식으로 탐구한 첫 번째 책이다. 이 책을 읽는 것은 그 자체로 변화의 여정이기에, 하루빨리 그 모험을 시작하시길 권한다.

게이 핸드릭스(Ph.D., 《Conscious Loving Ever After》의 저자)

〈내면의 공간〉은 삶의 회복력을 위해 필요한 모든 것을 간결하면서도 깊이 있게 풀어낸 책이다.

조지 프랜스키(Ph.D., 《The Relationship Handbook》의 저자)

이 책은 명상 없이도 명상의 공간에 닿는 법을 알려주는 탁월한 책이다. 읽고, 즐기며, 당신의 깊은 잠재력을 깨워보기를!

폴 맥케나(Ph.D.,
《The Three Things That Will Change Your Destiny Today!》의 저자)

내면의 공간

초판 1쇄 발행 2025년 1월 20일

지은이 마이클 닐
옮긴이 김신비

펴낸곳 하몽
펴낸이 김신비
등록 제2022-000097
이메일 hamongbooks@gmail.com

ISBN 979-11-990567-0-1 (03190)